7日間マスター

# 潜水士試験

## 合格テキスト
## ＋
## 模擬テスト

**通信教育のSAT**
代表取締役
**二見 哲史** 著

弘文社

# はじめに

　潜水士試験の難易度は国家資格としてはそれほど高くありません。過去問題を徹底的に取り組めばおそらく合格できるでしょう。しかし，何の知識もない状態で過去問題に取り組むよりも，必要最低限の知識を付けたうえで取り組む方が，はるかに楽に合格できます。

　とはいっても，一般的な資格試験対策本は，試験の出題範囲をほぼすべて網羅しているために，分厚い参考書となっています。

　このような参考書で隅から隅まで学習し，理解・暗記できればみなさんが100点をとれますが，途中で嫌になってしまう方も多くいます。

　何より，試験を受験される方の本音は，「いかに楽に短期に合格できるのか」だと思います。楽に合格した場合，実務面で不安が残るという方がいるかもしれません。しかし，試験に合格された方は，実務面でも十分通用します。何より，そうでないと，試験問題自体に問題があることになります。

　そこで，本書のコンセプトは一般的な資格対策本と違って，とにかく最低限の労力で試験に合格できることを最優先に執筆をいたしました。そして，多くの方が苦手とする物理現象を特に分かりやすく解説することを心がけました。

　本書を執筆するにあたり，過去10年間分（20回分）の問題の出題を分析しました。1問ずつ問題をハサミできり，項目ごとに分類し，手作業で分類作業をしました。

　執筆にはかなりの時間と労力がかかりましたが，満足のいくものに仕上がりました。

　本書を活用され，楽に短期間に合格されることをお祈りしております。

SAT 株式会社　代表取締役　二見哲史
https://www.sat-co.info/

# もくじ

はじめに ……………………………………………………………… 3
潜水士試験受験案内 ……………………………………………… 8
本書を用いた最短学習法 ………………………………………… 10

## 第1編　潜水業務

### 1日目　水中での物理的作用

1－1　光について ……………………………………………… 12
1－2　音について ……………………………………………… 15
1－3　気体の性質と障害 ……………………………………… 16
1－4　熱について ……………………………………………… 17
1－5　圧力について …………………………………………… 18
　ゲージ圧力と絶対圧力 …………………………………… 20
　アルキメデスの原理 ……………………………………… 21
1－6　ボイルの法則とシャルルの法則 ……………………… 22
　ボイルの法則 ……………………………………………… 22
　シャルルの法則 …………………………………………… 22
　ヘンリーの法則 …………………………………………… 23
　ダルトンの法則 …………………………………………… 24

### 2日目　潜水器の種類

2－1　硬式潜水と軟式潜水 …………………………………… 25
　硬式潜水 …………………………………………………… 25
　軟式潜水 …………………………………………………… 25
2－2　軟式潜水の分類と特徴 ………………………………… 26
　送気式潜水器 ……………………………………………… 26
　自給気式潜水器 …………………………………………… 27
　ヘルメット式潜水器 ……………………………………… 28
　全面マスク式潜水器 ……………………………………… 30
　スクーバ式潜水器 ………………………………………… 31
2－3　潜水業務に必要な器具・設備 ………………………… 33

4

## 3日目　潜水事故の要因と対処法

| 3－1 | 吹き上げと潜水墜落 | 35 |
|---|---|---|
| | 吹き上げ | 35 |
| | 潜水墜落 | 37 |
| 3－2 | 水中拘束と溺れ | 39 |
| | 水中拘束 | 39 |
| | 溺れ | 39 |
| 3－3 | 海中生物による事故 | 41 |
| 3－4 | 水中作業による事故 | 42 |
| 3－5 | 特殊環境下による事故 | 44 |

# 第2編　送気，潜降および浮上

## 4日目　潜水業務に必要な送気

| 4－1 | 送気系統 | 48 |
|---|---|---|
| | 送気式潜水（ヘルメット式潜水，軽便マスク式） | 48 |
| | 応需（デマンド）送気式（フーカー式，全面マスク式） | 51 |
| 4－2 | スクーバ式潜水の給気可能時間の計算 | 52 |
| 4－3 | 潜降・浮上の原則 | 54 |
| | 送気式潜水の場合 | 54 |
| | 自給気式潜水の場合 | 55 |
| | 減圧理論（ZH-L16モデル） | 57 |
| | 酸素中毒を表す計算式 | 58 |

# 第3編　高気圧障害

## 5日目　人体のしくみ

| 5－1 | 呼吸器・循環器・神経系 | 60 |
|---|---|---|
| 【呼吸器系】 | | 60 |
| | 肺 | 60 |
| | 胸腔と胸膜腔 | 63 |
| 【循環器系】心臓 | | 64 |

5

【神経系】 ······························································· 66
　神経の伝達回路 ··················································· 66
5－2　気体による疾患 ··································· 68
　酸素中毒 ····························································· 68
　二酸化炭素中毒 ··················································· 69
　一酸化炭素中毒 ··················································· 69
　窒素酔い ····························································· 70
5－3　圧力による疾患 ··································· 71
　減圧症 ································································· 71
　圧外傷 ································································· 73
　様々な圧外傷 ······················································· 74
　骨壊死 ································································· 76
5－4　温度による影響 ··································· 76
　水温による人体への影響 ········································ 76
　低体温症 ····························································· 76
5－5　救急処置法 ········································· 78
　一次救命処置の流れ ·············································· 78
　潜水業務への就業が禁止されている業務 ··········· 80

# 第4編　関係法令

## 6日目　関係法令

1.　空気槽に関する法令 ·············································· 84
2.　特別教育に関する法令 ············································ 86
3.　ガス分圧の制限に関する法令 ···································· 89
4.　酸素ばく露量の制限に関する法令 ····························· 89
5.　潜降・浮上に関する法令 ········································· 90
6.　減圧状況の記録等に関する法令 ································· 92
7.　送気・吸気に関する法令 ········································· 92
8.　設備・器具点検に関する法令 ···································· 94
9.　連絡員に関する法令 ·············································· 96
10.　潜水作業者携行物に関する法令 ································ 98
11.　健康診断に関する法令 ··········································· 99
12.　再圧室に関する法令 ············································ 101

13. 潜水士免許に関する法令 ……………………………………… 104
14. 譲渡等に関する法令 …………………………………………… 107

# 第5編（7日目）　模擬テスト

第1回　模擬テスト　問題 ……………………………………………… 110
　解答と解説 ……………………………………………………………… 126
第2回　模擬テスト　問題 ……………………………………………… 132
　解答と解説 ……………………………………………………………… 150
第3回　模擬テスト　問題 ……………………………………………… 158
　解答と解説 ……………………………………………………………… 175

**さくいん** …………………………………………………………………… 184

# 潜水士試験受験案内

## 潜水士免許が必要な職業

　潜水士免許が必要な業種は多岐にわたりますが，**水深に関係なく潜水業務を行う場合，潜水士免許が必要**になります。具体的な職種としては

・ダイビングのインストラクター

・水中カメラマン

・サルベージなどの水中作業業務

・海洋生物の研究調査

・海上自衛隊・海上保安庁の潜水士

などがあります。事業者は潜水士の免許を持たない者に対して潜水業務を行わせることはできません。

## 受験資格

　学歴，年齢，経験などの制限は一切ありません。小学生でも受験できます。ただし，合格後の免許交付は 18 歳以上という規定がありますので，実際の潜水業務に就けるのは 18 歳以上ということになります。

## 試験日

　例年，1 月・4 月・7 月・10 月の 4 回実施されておりますが，試験会場によって異なりますので，詳細は「安全衛生技術試験協会」の HP をご確認ください。

### 試験科目および配点

| | 科目 | 配点 | 問題数 | 合格に必要な正解数 |
|---|---|---|---|---|
| 午前実施 | 潜水業務 | 30 点 | 10 | ※ |
| | 送気・潜降および浮上 | 25 点 | 10 | ※ |
| 午後実施 | 高気圧障害 | 25 点 | 10 | ※ |
| | 関係法令 | 20 点 | 10 | ※ |

※科目ごとの得点が 40％以上，かつ全体で 60％以上の正解率が必要です。

**受験料**　6,800 円

**持ち物**　定規，電卓（スマートフォンや関数電卓は使用不可）

## 試験会場

| 試験会場 | 住所 | 電話番号 |
|---|---|---|
| 北海道安全衛生技術センター | 〒 061-1407<br>北海道恵庭市黄金北3-13 | 0123-34-1171 |
| 東北安全衛生技術センター | 〒 989-2427<br>宮城県岩沼市里の杜1-1-15 | 0223-23-3181 |
| 関東安全衛生技術センター | 〒 290-0011<br>千葉県市原市能満 2089 | 0436-75-1141 |
| 中部安全衛生技術センター | 〒 477-0032<br>愛知県東海市加木屋町丑寅海戸 51-5 | 0562-33-1161 |
| 近畿安全衛生技術センター | 〒 675-0007<br>兵庫県加古川市神野町西之山字迎野 | 079-438-8481 |
| 中国四国安全衛生技術センター | 〒 721-0955<br>広島県福山市新涯町2-29-36 | 084-954-4661 |
| 九州安全衛生技術センター | 〒 839-0809<br>福岡県久留米市東合川5-9-3 | 0942-43-3381 |

## 試験実施団体

公益財団法人 安全衛生技術試験協会
〒 101-0065　東京都千代田区西神田３‐８‐１千代田ファーストビル東館９階
TEL　03-5275-1088

以上の内容については，変更の可能性がありますので，必ず各自で試験実施団体への問合せをお願いします。

# 本書を用いた最短学習法

　資格試験の最短学習法はよく言われているように過去問を中心に取り組むことが大切です。とはいっても，何の知識もない状態で過去問題に取り組むのは知識の整理ができないばかりか，かえって非効率な学習法になってしまいます。

　そこで，本書では基本的な事を押さえたうえで過去問題に取り組む。つまり，

**1** インプット（知識の注入）
イラスト・図解が豊富で
わかりやすい解説

**2** アウトプット（過去問演習）
分野別に厳選された問題
を解いて理解度の確認

**3** 模擬テスト（総仕上げ）
過去10年の試験問題を徹底分析
本番のシミュレーションに

という構成にしております。

　本書を利用すれば，独学でも7日間で合格できるようにプログラムされております。この場合，一日の学習時間はどのぐらい必要かという疑問が出ると思います。人によって差はありますが最低でも2，3時間程度の学習は必要かと思います。

　まとめた学習時間をとるのではなく，通勤時間などのスキマ時間にも学習をするようにしてください。

では，これから講義に入っていきます。
鉄（気持ち）は熱いうちに打ちましょう！

# 第1編
# 潜水業務

# 1日目 水中での物理的作用

> 潜水士試験にどうして物理の勉強が必要なの？そんな声が聞こえてきそうですね。
> 例えば水中で物を見た時，地上とは違った見え方がします。このことを知っておかないと人や物にぶつかったり，合図が見えなかったりします。また，熱の伝わり方や水圧のことを知っていないと命にもかかわってきます。よって基本的な物理現象の知識を身に付けておく必要があるのです。

## 1-1 光について

### 色の見え方

　ものが見えるには光が必要ですね。普段私たちが見ている光はいろんな色が混じっています。リンゴが赤く見えるのは，リンゴの表面で赤い色だけが反射して目に飛び込んできて赤色に見えるわけです。

　水中では青色の光の吸収が最も少なく（反射しやすい），赤色の光が吸収されやすいのです。ですから，海や湖は青色に見えます。

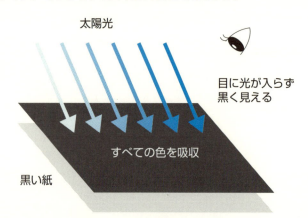

**図1・1　色を認識する仕組み**

　なお，濁った水中で識別しやすい色の順は，①**オレンジ**⇒②**白**⇒③**黄**という順です。この順は覚えておきましょう。

## 光の屈折

次に水中では**光の屈折**により，物体の大きさが大きく見え，距離も近く見えます。屈折とは，空気と水の境界面で光の進路が曲がることを言います。試験で問われるのは屈折の仕方ですが，これは，車輪を使って考えれば，簡単です。

下の左図は光が空気中から水中へと入る（**入射**するといいます）場合です。この場合，車輪の片側が水につかった瞬間に動きが鈍くなります。一方，空気中の車輪は抵抗を受けていません。その結果，車輪は時計回りに回ります。その後，両方の車輪が水につかると進む速さが同じになり，再びまっすぐに進みますね。同様に，右図では車輪の片側が空気中に出ると，動きが早くなって時計回りに回ります。このように考えればいいわけです。

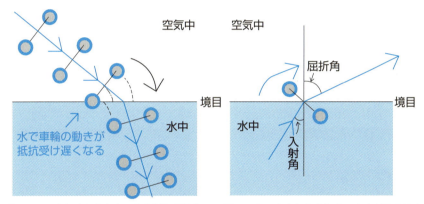

図1・2　空気中から水中へと光が入る場合　　図1・3　水中から空気中へと光が出る場合

1日目　水中での物理的作用

**水中における光や音に関し，次のうち正しいものはどれか。**

(1) 水中では，物が青のフィルターを通した時のように見えるが，これは青い色が水に最も吸収されやすいからである。

(2) 濁った水中では，蛍光性のオレンジ色，白色，黄色が視認しやすい。

(3) 光は水と空気の境界では下図のように屈折する。

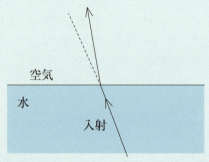

(4) 澄んだ水中で顔マスクを通して近距離にあるものを見た場合，物体の位置は実際より遠く見える。

(5) 水中では，音は空気中に比べ約3倍の速度で伝わり，また，電波距離が長いので両耳効果が高められる。

### 解答と解説

どこが誤っているのか順番に見ていきましょう。

(1) 正しくは，青い色が水に最も**反射されやすい**からです。

(3) 下図の青線のように屈折します。

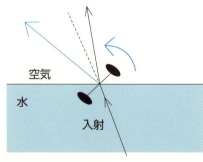

(4) 物体の位置は実際より**近く**見えます。

(5) 音については，次項で勉強します。

解答 (2)

## 1-2 音について

　音の伝わる速さは気体→液体→固体の順に速くなります。空気中では1秒間に約 340 m，水中では約 1500 m ほど進みます。みなさんは音がしたときにどちらの方向から音が鳴ったのか分かりますね。
　これは，**両耳効果**といわれるものです。音源から右耳と左耳のわずかな距離の差によって音が右耳と左耳に伝わるのに時間差が生まれます。この時間差は音の伝わるスピードが速くなればなるほどなくなります。

図1・4　両耳効果

　つまり，**空気中よりも水中の方が両耳効果が減少**するのです。これでは，水中ではどちらから音がしているのか分からなくなってしまいますね。

### 練習問題

**水中における光や音に関し，次のうち誤っているものはどれか。**
(1)　水中では，音に対する両耳効果が減少し，音源の方向探知が困難になる。
(2)　水は空気に比べ密度が大きいので，水中では空気中に比べて，音が遠くまで伝播する。
(3)　水分子による光の吸収の度合いは，光の波長によって異なり，波長の長い赤色は，波長の短い青色より吸収されやすい。
(4)　オレンジ色や黄色で蛍光性のものは，濁った水中で視認しにくい。
(5)　澄んだ水中でマスクを通して近距離にある物を見る場合，実際より近く，また大きく見える。

### 解答と解説

　濁った水中で識別しやすい色の順は①オレンジ⇒②白⇒③黄という順です。

正解　(4)

## 1-3　気体の性質と障害

　生きていくためには酸素が必要ですが，酸素も濃度が高いと障害を引き起こします。その他の気体についても様々な障害を引き起こす恐れがあります。
　ここでは，5種類の気体の性質と障害について学習していきます。

　試験に出題されるポイントをまとめておきます。

表1・1

| 気体名 | 主な性質と障害 |
| --- | --- |
| 酸素 | 無色・無臭の気体で，生命維持に必要不可欠。ただし，濃度が高いと酸素中毒を引き起こす |
| ヘリウム | 無色・無臭の気体で，密度が極めて小さい。（軽いということ）他の元素と化合しにくく，体内に溶け込む量も呼吸抵抗も少ない。他の特徴として，熱伝導率が高いので，呼吸するごとに潜水者の体温を奪ってしまう。濃度の高いものを吸引すると，「ドナルドダック・ボイス」と呼ばれる甲高い声になるので，言葉の明瞭度が低下する。窒素ガスのような高い圧力下であっても，麻酔作用を起こすことはない |
| 二酸化炭素 | 空気中に0.03～0.04%含まれている無色・無臭の気体で人の呼吸の維持には微量は必要 |
| 窒素 | 化学的に安定した不活性の水に溶けにくい気体だが，高圧下では窒素酔いと言われる麻酔性作用を生じる |
| 一酸化炭素 | 無色・無臭の気体で，呼吸によって体内に入ると，血液中のヘモグロビンが酸素を運びにくくなるので有毒である。物質の不完全燃焼によって発生する |

- 潜水士試験で出題される気体はいずれも無色・無臭
- ヘリウムの性質は頻出

### 気体の性質に関し，次のうち，正しいものはどれか

(1) ヘリウムは，密度が極めて小さく，他の元素と化合しやすい気体で，呼吸抵抗は少ない
(2) 窒素は，化学的に安定した不活性の気体であり，高圧下でも麻酔性などの問題は生じない
(3) 二酸化炭素は，空気中に 0.3〜0.4％程度の割合で含まれている無色・無臭の気体で，人の呼吸の維持に微量は必要なものである。
(4) 酸素は，無色，無臭の気体で，生命維持に必要不可欠なものであり，空気中の酸素濃度が高ければ高いほど人体にはよい
(5) 一酸化炭素は，無色，無臭の気体で，呼吸によって体内に入ると，血液中のヘモグロビンが酸素を運びにくくなるので有毒である。

### 解答と解説

(1) ヘリウムは不活性の気体で他の元素と**化合しにくい**です。
(2) 窒素は高圧下で**「窒素酔い」**と言われる麻酔性を生じます。
(3) 二酸化炭素は空気中に **0.03〜0.04％** 含まれます。
(4) 酸素は濃度が高いと，**有毒な酸素中毒**を生じます。

正解　(5)

## 1－4　熱について

　熱の伝わりやすさを熱伝導率といいますが，こちらも音と同じように気体→液体→固体の順になります。因みに**空気よりも水の方が約 25 倍もよく熱は伝わります**。

　例えば，80 度のサウナ（気体）の中だとみなさんは 2，3 分程度なら耐えられますよね。でも 80 度のお湯だと，10 秒も耐えられませんね。大やけどをしてしまいます。これはお湯（液体）の方が，身体に熱が伝わりやすいからです。このように考えれば，潜水の際に，水温に適したスーツを着用しないと危険だということがすぐにお分かりになると思います。

人体に及ぼす水温の作用等に関し，次のうち誤っているものはどれか。
(1) 体温は，代謝によって生ずる産熱と，人体と外部環境の温度差に基づく放熱のバランスによって保たれる。
(2) 一般に水温が20℃以下の水中では，保温のためのウェットスーツやドライスーツの着用が必要となる。
(3) 水の比熱は空気に比べてはるかに大きいが，熱伝導率は空気より小さい。
(4) 水中で体温が低下すると，震え，意識の混濁や喪失などを起こし，死に至ることもある。
(5) 低体温症に陥った者にアルコールを摂取させると，皮膚の血管が拡張し体表面からの熱損失を増加させるので絶対に避けなければならない。

### 解答と解説

比熱も熱伝導率も水（液体）の方が空気（気体）よりも大きいです。他の問いについては後の章で学習します。

解答　(3)

## 1-5　圧力について

中学生の時に圧力の計算が嫌だった〜という人が結構多いのではないでしょうか？苦手意識を持たずに，ついてきてくださいね。

まず，圧力って何でしたか？例えば，1 kg/cm² という状態を図で表すと右図のようになります。このように**単位面積（1 cm² や 1 m²）あたりに加わっている力のことを圧力**といいます。

私たちの頭の上には空気の層がありますね。この空気の重さによる圧力のことを大気圧といいます。でも空気の重さを普段感じることはありません。これは，上からだけでなく，あらゆる方向から同じだけの力で押されているからなのです。

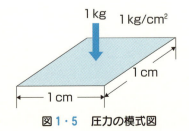

図1・5　圧力の模式図

分かりずらい方は，次の図を見てください。風船を水中に沈めると，あらゆる方向から水圧がかかって，しぼんでしまいます。これがもし上からだけだと，全体的に縮まらずに風船の上部がへこむだけです。

空気中でも同じことが起こっているのです。つまり，あらゆる方向から，大気圧がかかっています。山頂にいった場合，頭の上にある空気の層は地上よりも少ないので，大気圧が低くなります。

さて，地上（海面付近）での大気圧を

図1・6　水圧の模式図

1気圧といいますが，ややこしいことに，圧力には単位がいくつかあり，それぞれの関係式を覚えておく必要があります。ここでは次の式だけをまず覚えてください。

$$1 気圧 = 1\,atm = 1\,kg/cm^2 = 0.1\,MPa（メガパスカル） = 1013\,hPa（ヘクトパスカル） = 約1\,bar$$

水中に潜ると大気圧に加えて水圧がかかってきます。**水圧は水深10m潜降ごとに，0.1MPaずつ増加**します。

　0.1MPa＝1気圧の関係より

<u>水深10mの場合</u>
　大気圧＋水圧 ＝ 1＋1 ＝ 2気圧

<u>水深20mの場合</u>
　大気圧＋水圧 ＝ 1＋2 ＝ 3気圧となります。

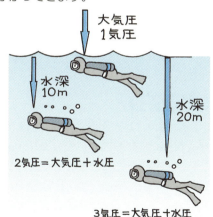

1日目　水中での物理的作用　19

## ゲージ圧力と絶対圧力

ゲージ【gauge】とは長さ・重量などを測定する器具のことを言います。

つまり、ゲージ圧というのは、圧力計等の計器が示す圧力のことです。大切な事は、ゲージ圧は、水圧のみを示します。それに対して、絶対圧力というのは、大気圧と水圧を足したものです。以上をまとめると

> 絶対圧力・・・大気圧＋水圧
> ゲージ圧・・・水圧のみ（絶対圧力－大気圧）

になります。よって水面ではゲージ圧表示はゼロになります。

### 確認問題

内容積 12 ℓ のボンベに空気が温度 17℃、圧力 18 MPa（ゲージ圧力）で充填されている。このボンベ内の空気の質量に最も近いものは次のうちどれか。

ただし、温度 17℃、0.1 MPa（絶対圧力）における空気の密度は 1.22 kg/m³ とする。

(1)  1.45 kg

(2)  1.85 kg

(3)  2.25 kg

(4)  2.65 kg

(5)  3.05 kg

### 解答と解説

圧力の単位をそろえます。18 MPa（ゲージ圧力）は、絶対圧力では 18.1 MPa となります。次に 1.22 kg/m³ の意味を説明しますね。

これは 1 m の立方体の中にある空気の重さが 1.22 kg という事です。

1 m³ ＝ 1000 ℓ ですから、言いかえると 1000 ℓ の空気が 1.22 kg です。

18.1 MPa では、その $\dfrac{18.1}{0.1} = 181$ 倍の重さになります。

ただし、今、1000 ℓ ではなく 12 ℓ ですので 18.1 MPa、12 ℓ の空気の重さは、

$$\frac{12}{1000} \times \frac{18.1}{0.1} \times 1.22 = 2.65 \text{ kg}$$

解答 (4)

## アルキメデスの原理

浮力に関する原理です。原理名は覚えなくてもよいのですが，内容は理解する必要があります。

一言でいいますと，「物体を液体に沈めた時，その物体は**押しのけた液体の重さと等しい浮力を持つ**。」ということになります。例を挙げましょう。

例えば，体積が 500 cm³ で質量 350 g の木片が水面に浮かんでいたとします。質量 350 g の物体が浮かんでいられるのは，350 g の浮力が働いているからです。アルキメデスの原理によると，「押しのけた液体の重さ」＝「浮力」でした。浮力＝350 g ですから，押しのけた液体の重さも 350 g ですね。ここで，水の密度は 1g/cm³ です。なので，350 g の水の体積は，350 cm³ となります。

つまり，押しのけた（水につかっている部分）体積は 350 cm³ となり，浮力から水面下にある木片の体積を求めることができるのです。

### 練習問題

**浮力に関し，次のうち誤っているものはどれか。**

(1) 水中にある物体が，水から受ける上向きの力を浮力という。
(2) 水中に物体があり，この物体の質量が，この物体と同体積の水の質量と同じ場合は，中性浮力の状態となる。
(3) 海水は淡水よりも密度が僅かに大きいので，作用する浮力も僅かに大きい。
(4) 圧縮性のない物体は水深によって浮力は変化しないが，圧縮性のある物体は水深が深くなるほど浮力は小さくなる。
(5) 同じ体積の物体であっても，重心の低い形の物体は，重心の高い形の物体よりも浮力が大きい。

### 解答と解説

浮力は，アルキメデスの原理により，「押しのけた液体の重さと等しい浮力を持つ」つまり，**物体の体積にのみ比例**し，重心などは関係ありません。

解答 (5)

# 1-6 ボイルの法則とシャルルの法則

## ボイルの法則

> 温度が一定の時，気体の体積と圧力には次の関係があります。
> P(圧力)×V(体積) = 一定

例えば，右図Aでは圧力1，この状態での体積が1とします。

右図Bでは圧力が2になったとします。すると体積は1/2になります。つまり，Aの状態とBの状態では圧力と体積を掛け算したものはともに1になり，一定ということになります。

　A：圧力1×体積1 = 1
　B：圧力2×体積1/2 = 1

この法則は式で覚えようとすると，忘れてしまいがちなので，ピストンのイメージ図で覚えるようにしましょう。**ボイルといえば，ピストン！**

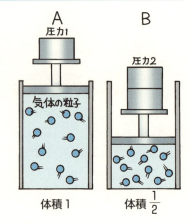

## シャール（シャルル）の法則

身近な例でいえば，袋に入ったパンなどを電子レンジで温めると，パンパンに膨らみますね。これは温度上昇によって袋の中の空気が膨張したからです。

> 圧力一定のもとで，温度を上げると気体の体積は増加し，温度を下げると減少します。（体積は温度が1度の変化で1/273 ずつ変化する）
> $\dfrac{V}{T}$ = 一定

この時のTは気温を表していますが，絶対温度といって，273度に温度を足します。例えば，25℃でしたら，273+25 = 298 K（ケルビン）となります。

この法則は電子レンジで温められたパンのイメージで覚えてください。

さて，これまで説明したボイルとシャルルの法則は合体することができます。

$$\dfrac{P_1 V_1}{T_1} = \dfrac{P_2 V_2}{T_2}$$

これが，**ボイル・シャルルの法則**です。具体例を見てみましょう。

> **例題** 気温27℃の水面上にある風船の体積は15ℓでした。この風船を水温15℃の水中20mへ沈めた時の体積はいくらでしょうか？

　この問題で注意してほしいのは，圧力が書かれていないことです。そこで，まずは水面上にある時と，水中にあるときの圧力を求めます。水面上にあるときの圧力は大気圧ですから，絶対圧力は1atmになりますね。

　次に，水深20mでは水圧は10mごとに，1atm増加しますから，20mでは2atmです。これに，大気圧がかかっていますから，絶対圧力は3atmになります。

　　$P_1V_1/T_1 = P_2V_2/T_2$ より，

　　$1\,atm \times 15\,ℓ / (273+27)\,K = 3\,atm \times V_2 / (273+15)\,K$ より，

　　$V_2 = 4.8\,ℓ$

となります。

　さて，物理はもう嫌だ～という声が聞こえてきそうですが，あと二つの法則でとりあえず終了です。頑張ってくださいね。

## ヘンリーの法則

> ① 一定量の液体に溶解する気体の**体積**は，その気体の圧力にかかわらず**一定**である。
> ② 一定量の液体に溶解する気体の**質量**は，その気体の圧力に**比例**する。

試験では体積と質量をよく，入れ違えて出題されてきます。

　言葉で暗記しようとすると間違えやすいので，理解することが大切です。
　まず，①も②も，圧力がかかると，液体にはたくさんの気体が溶解しそうですね。たとえば圧力が2倍になった時を考えます。圧力が2倍になるとボイルの法則により体積は1/2になりますね。つまり，溶け込む質量は2倍になるのですが，体積は変わらずに一定ということになります。そう，ヘンリーの法則もボイルの法則が関係しているのです。
　因みになぜ，潜水士試験でこれらの学習をする必要があるのでしょうか？別のところで学習をしますが，潜降をすると水圧がかかり，ヘンリーの法則により血液中に空気中の窒素が溶け込みます。すると，お酒に酔ったような窒素酔

いという症状が現れ，正常な判断ができなくなるのです。

その他，減圧症といって，浮上した際に血液中に溶け込んでいたガスが気泡化して障害を起こす原因なども説明ができるのです。こちら，ビールの栓を抜いたとき（圧力が下がる）に気泡が現れる（溶けきれなくなって出てくる）現象と全く同じですね。

潜水士試験で物理現象を学習するにはきちんとした理由があったのですね。

> 気体の液体への溶解に関する次の文中の　　　内に入れるA及びBの語句の組合せとして，正しいものは(1)〜(5)のうちどれか。
> ただし，その気体のその液体に対する溶解度は小さく，また，その気体はその液体と反応する気体ではないものとする。
> 「温度が一定のとき，一定量の液体に溶解する気体の質量は，その気体の圧力に　A　。温度が一定のとき，一定量の液体に溶解する気体の体積は，その気体の圧力に　B　。
> 
> |  | A | B |
> |---|---|---|
> | (1) | かかわらず一定である | 比例する |
> | (2) | 反比例する | 比例する |
> | (3) | 反比例する | かかわらず一定である |
> | (4) | 比例する | 反比例する |
> | (5) | 比例する | かかわらず一定である |

### 解答と解説

**解答** (5)

## ダルトンの法則

> 2種類以上のガスの**分圧の和**は，混合気体の**全圧**と等しくなる。

上記の法則を1気圧の空気であてはめてみます。空気中には窒素が78%，酸素が21%，残り二酸化炭素やアルゴンなどが1%含まれています。それぞれの気体の分圧の合計は空気の全圧に等しくなります。つまり，
窒素が0.78 atm＋酸素が0.21 atm＋その他ガスが0.01 atm ＝ 空気の圧力 1 atmになります。

# 2日目 潜水器の種類

ここでは，潜水器の特徴について学んでいきます。まずは，大まかな特徴をつかむことを心がけて下さい。

## 2－1 硬式潜水と軟式潜水

### 硬式潜水（大気圧潜水）
名前の通り，水圧から潜水士を保護するために硬い耐圧殻に入って行う方式です。この装置が大きくなったものが潜水艦になります。減圧症や圧外傷などの疾患がなく安全ですが，他の潜水方式に比べ身体の行動が著しく低下します。

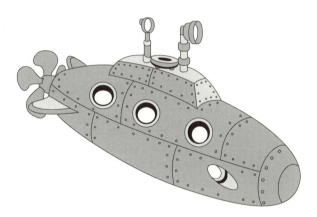

### 軟式潜水（環境圧潜水）
潜水士が深度に応じて，水圧を直接受ける潜水方式です。潜水服が軟らかいので，軟式という名前がついています。硬式潜水に比べて，行動しやすく潜水作業に向いていますが，水圧による種々の疾患が発生しやすいので，注意が必要です。よって潜水士試験で出題されるのは，軟式潜水になります。

## 2－2　軟式潜水の分類と特徴

では，次に，それぞれの潜水器について詳しく見ていきましょう。

### 送気式潜水器

　一般に船上のコンプレッサーによって送気を行う潜水で，比較的長時間の水中作業が可能です。

**定量送気式**…空気圧縮機などによる圧縮空気を船上からホースを介して潜水者に送気する方法

**応需（デマンド）送気式**…潜水者の呼吸に応じて送気が行われる。呼吸ガスの消費量はヘルメット式潜水器より少なくなります。

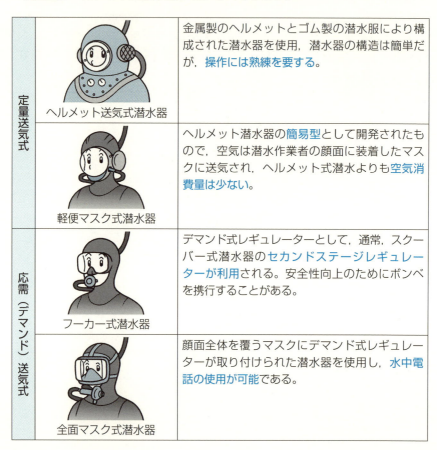

| | | |
|---|---|---|
| 定量送気式 | ヘルメット送気式潜水器 | 金属製のヘルメットとゴム製の潜水服により構成された潜水器を使用，潜水器の構造は簡単だが，操作には熟練を要する。 |
| 定量送気式 | 軽便マスク式潜水器 | ヘルメット潜水器の簡易型として開発されたもので，空気は潜水作業者の顔面に装着したマスクに送気され，ヘルメット式潜水よりも空気消費量は少ない。 |
| 応需（デマンド）送気式 | フーカー式潜水器 | デマンド式レギュレーターとして，通常，スクーバー式潜水器のセカンドステージレギュレーターが利用される。安全性向上のためにボンベを携行することがある。 |
| 応需（デマンド）送気式 | 全面マスク式潜水器 | 顔面全体を覆うマスクにデマンド式レギュレーターが取り付けられた潜水器を使用し，水中電話の使用が可能である。 |

## 自給気式潜水器（スクーバ式）

| | |
|---|---|
| <br>開放回路型潜水器 | 自給気式潜水器は一般に開放回路型スクーバー潜水器が使用されている。潜水作業者の行動を制限する送気ホース等が無いので作業の自由度が高い。 |
| <br>半開放回路型潜水器 | 排気の炭酸ガスを吸収除去し，酸素と窒素の混合ガスを添加して余分になったガスのみを排出する。 |
| <br>閉鎖回路型潜水器 | 呼気をそのまま水中に排気せず，排気の炭酸ガスを吸収除去し，純酸素と窒素の混合ガスなどを添加して再利用する。排気は外に放出せずに長時間の潜水が可能。 |

第1編 潜水業務

**潜水の種類，方式に関し，次のうち正しいものはどれか**

(1) フーカー式潜水は送気式潜水の一種で，レギュレーターを介して送気する定量送気式である。
(2) ヘルメット式潜水は，金属製のヘルメットとゴム製の潜水服により構成された潜水器を使用し，操作は比較的簡単で複雑な浮力調整の必要がない。
(3) ヘルメット式潜水は応需送気式の潜水で，一般に船上のコンプレッサーによって送気し，比較的長時間の水中作業が可能である。
(4) 自給気式潜水は，一般に閉鎖回路型スクーバ式潜水器を使用し，潜水作業者の行動を制限する送気ホース等がないので作業の自由度が高い。
(5) 全面マスク式潜水は，応需送気式の潜水で，顔面全体を覆うマスクにデマンド式レギュレーターが取り付けられた潜水器を使用し，水中電話の使用が可能である。

2日目　潜水器の種類　27

### 解答と解説

(1) フーカー式潜水は定量送気式ではなく，**応需送気式**です。
(2) ヘルメット式潜水は操作に**熟練を要します**。
(3) ヘルメット式潜水は応需送気式ではなく，**定量送気式**です。
(4) 自給気式潜水は，一般に**開放回路型**スクーバ式潜水器を使用します。

　　　　　　　　　　　　　　　　　　　　　　解答　(5)

### ヘルメット式潜水器

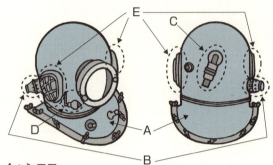

A：シコロ
B：排気弁
C：送気ホース取り付け部
　　逆止弁がつけられている。
D：ドレーンコック
E：側面窓（金属格子が取り付けられている）

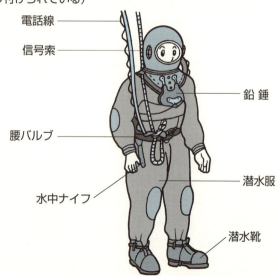

28

試験に出題される器具と概要をまとめておきました。

| ヘルメットに付属の器具名 | 概要 |
|---|---|
| シコロ | ヘルメット本体はシコロのボルトを襟ゴムのボルト孔に通し，上から抑え金を当て，蝶ねじで締め付けて潜水服に固定する |
| 排気弁 | 潜水作業者が自身の頭部を使ってこれを操作し，余剰空気や呼気を排出する |
| 逆止弁 | 送気ホース取付口の部分に送気された空気が逆流しないように逆止弁が設けられている |
| 側面窓 | 金属製格子等が取り付けられており窓ガラスを保護している |
| ドレーンコック | 潜水作業者のつばや，内部にわずかに浸水した水分を外へ排出するときに使う。油分は排出しない |
| 器具名 | 概要 |
| ベルト | 潜水服内の空気が下半身に入り込まないようにするために腰部を締め付ける。腰バルブの固定用としても使われ，送気ホースに対する外力が直接ヘルメットに加わることを防ぐ |
| 腰バルブ | 送気ホースからヘルメットに入る空気量の調節を潜水作業者自身が行う |

**ヘルメット式潜水器に関し，次のうち誤っているものはどれか。**

(1) ヘルメットの側面窓には，格子が取り付けられて窓ガラスを保護している。
(2) ドレーンコックは，潜水作業者が唾などをヘルメットの外に排出するときに使用する。
(3) 潜水服内の空気が下半身に入り込まないようにするために，腰部をベルトで締め付ける。
(4) 腰バルブには減圧弁が組み込まれていて，潜水作業者の呼吸量に応じて自動的に送気空気量を調節する。
(5) 排気弁は，これを操作して潜水服内の余剰空気を排出したり，潜水作業者の呼気を排出する。

解答と解説

腰バルブは送気ホースからヘルメットに入る空気量の調節を**潜水作業者自身**が行うためのものです。

解答 (4)

2日目 潜水器の種類

## 全面マスク式潜水器

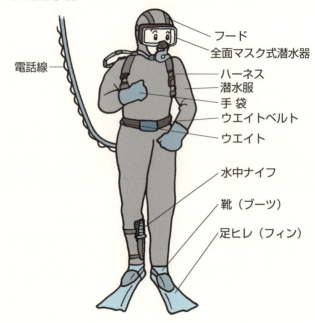

- 深度が深い場合に使われる。大型のバンドでマスクを顔面に押し付けて固定するバンドマスクタイプやヘルメットタイプがある。
- マスク内には口と鼻を覆う口鼻マスクが取り付けられており，潜水作業者はこの口鼻マスクを介して給気を受ける。
- 水中電話機のマイクロホンは口鼻マスク部に取り付けられ，イヤホンは耳の後ろ付近にストラップを利用して固定される。
- 送気式潜水器であるが，小型のボンベを携行して潜水することがある。
- 頭部を覆う専用のフードと一体になったものやヘルメット型のものがある。

**全面マスク式潜水器に関し，次のうち誤っているものはどれか。**

(1) 全面マスク式潜水器では，ヘルメット式潜水器に比べて多くの送気量が必要となる。
(2) 全面マスク式潜水器には，潜水深度が深い場合に使われる，大型のバンドでマスクを顔面に押しつけて固定するバンドマスクタイプやヘルメットタイプがある。
(3) 全面マスク式潜水器のマスク内には，口と鼻を覆う口鼻マスクが取り付けられており，潜水作業者はこの口鼻マスクを介して給気を受ける。
(4) 全面マスク式潜水器では，水中電話機のマイクロホンは口鼻マスク部に取り付けられ，イヤホンは耳の後ろ付近にストラップを利用して固定される。
(5) 全面マスク式潜水器は送気式潜水器であるが，小型のボンベを携行して潜水することがある。

### 解答と解説

全面マスク式潜水器では，ヘルメット式潜水器に比べて多くの送気量は必要としません。

解答　(1)

## スクーバ式潜水器

2日目　潜水器の種類　31

試験に出題される器具と概要をまとめておきました。

| 器具 | 概要 |
|---|---|
| 空気専用ボンベ | 表面積の1/2以上がねずみ色で塗色されている |
| 残圧計 | 内部は高圧がかかっているので，ゲージの針は顔を近づけないで，斜めに見るようにする |
| 圧力調整器 | ・始業前にボンベから送気した空気の漏れがないか，呼吸がスムーズに行えるか，などについて点検，確認する<br>・ボンベへの取り付けは，第1段減圧部のヨークをボンベのバルブ上部にはめ込んで，ヨークスクリューで固定する<br>・高圧空気を1MPa（ゲージ圧力）前後に減圧する第1段減圧部と更に潜水深度の圧力まで減圧する第2段減圧部から構成されている |
| ボンベ | ・クロムモリブデン鋼などの鋼合金で製造されたスチールボンベとアルミ合金で製造されたアルミボンベがある<br>・内容積が4〜18Lのものがあり，一般に19.6MP（ゲージ圧）の空気が充てんされている<br>・耐圧・衝撃・気密などの検査が行われ，最高充てん圧力など主なものが刻印されている<br>・水が浸入することを防ぐために，使用後も0.5〜1MPaの空気を残しておく<br>・バルブには開閉機能だけのKバルブと開閉機能とリザーブバルブ機能が一体となったJバルブがある |
| リザーブバルブ機構 | ボンベ内の圧力が規定の値にまで下がると，いったん空気の供給を止める機能をもつ |

スクーバ式潜水に用いられるボンベ，圧力調整器などに関し，次のうち誤っているものはどれか。

(1) ボンベには，クロムモリブデン鋼などの鋼合金で製造されたスチールボンベと，アルミ合金で製造されたアルミボンベがある。
(2) 残圧計には圧力調整器の第2段減圧部からボンベの高圧空気がホースを通して送られ，ボンベ内の圧力が表示される。
(3) ボンベには，内容積が4～18 Lのものがあり，一般に19.6 MPa（ゲージ圧力）の空気が充填されている。
(4) ボンベは，耐圧，衝撃，気密などの検査が行われ，最高充填圧力など主なものが刻印されている。
(5) 圧力調整器は，始業前に，ボンベから送気した空気の漏れがないか，呼吸がスムーズに行えるか，などについて点検，確認する。

**解答と解説**

第2段減圧部ではなく，第1段減圧部からホースを通して送られて，ボンベ内の圧力が表示されます。

解答 (2)

## 2-3 潜水業務に必要な器具・設備

試験に出題される器具と概要をまとめておきました。

| 器具・設備 | 概要 |
|---|---|
| 水中時計 | 現在時刻や潜水経過時間を表示するばかりでなく，潜水深度の時間的経過の記録が可能なものもある |
| 信号索 | 潜水作業者と船上との連絡のほか，「いのち綱」の役目も果たすもので，マニラ麻製で太さ1～2 cmのものが使用される |
| 潜水服 | ・スクーバ式用のドライスーツはレギュレーターのファーストステージから空気を入れることができる吸気弁及びドライスーツ内の余剰空気を逃す排気弁が取り付けられている<br>・スクーバ式用のウェットスーツは体表面とスーツの隙間に水が浸入するのでスクィーズ（締め付け障害）を防止できる |

| | |
|---|---|
| | ・全面マスク式用のドライスーツは，防水性を高めるため，首部・手首部が伸縮性に富んだゴム材で作られ，また，ブーツが一体となっている。またネオプレンゴムで作られた足袋やブーツを着用し，移動を容易にするため足ひれ（フィン）を使用することもある<br>・軽便マスク式用の潜水服はドライスーツ型の専用潜水服であるが，ウェットスーツを使用することもある<br>・ヘルメット式用の潜水服は体温保持と浮力調整のために内部に相当量の空気を蓄えることができる |
| 潜水靴 | ヘルメット式潜水の場合，下半身のバランスの確保のため，一足 9.8 kg の重量のあるものを使用する |
| 水深計 | 2 本の指針のうち 1 本は現在の水深を，他の 1 本は潜水中の最大深度を表示するものを使用することが望ましい |
| 潜降索 | マニラ麻製又は同等の強度を持つもので 1 ～ 2 cm 程度の太さのものを使用し，水深を示す目印として 3 m ごとにマークを付ける |
| ハーネス | スクーバ式でボンベを固定するハーネスはバックパック，ナイロンベルト，ステンレスベルト，バックルで構成されている |
| 足フィレ（フィン） | ブーツをはめ込むフルフィットタイプと爪先だけを差し込み踵をストラップで固定するオープンヒルタイプとがある |
| 鉛錘（ウエイト） | ヘルメット式潜水で使用するものは一組約 30 kg である |
| 水中ナイフ | 魚網などが絡みつき，身体が拘束されてしまった場合などの脱出のために必要である |
| BC（浮力調整具） | 救命具の役割も果たし，10 ～ 20 kg の浮力を得ることができ，水中で調整することで中性浮力状態を維持できる<br>BC 専用の液化炭酸ガスボンベ等は使わず，呼吸するためのタンクの空気を利用する |

# 3日目 潜水事故の要因と対処法

## 3－1　吹き上げと潜水墜落

**吹き上げ**

　ドライスーツやヘルメット式潜水服を使用した場合にスーツ内部の圧力の方が潜水深度の水圧よりも大きくなると，服が膨れ上がって浮力が発生します。そして，浮上すると水圧が小さくなるので，さらに服が膨れ上がり，加速度的に浮力が大きくなり一気に水面まで上昇する現象をいいます。

　潜水士試験で出題されるのは，吹き上げが起こる原因と予防法です。

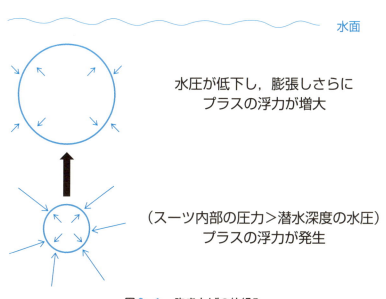

図3・1　吹き上げの仕組み

表 3・1 吹き上げの原因と予防法

| | 発生原因 | 予防法 |
|---|---|---|
| ① | ヘルメット潜水では,潜水作業者に常に大量の空気が送付されており,排気弁の操作を誤る恐れがある | ヘルメット式潜水では排気弁調整技術を完全に習得する |
| ② | ヘルメット式潜水では頭部を下にした姿勢を取る際,空気が下半身に移動し,逆立ちの状態になってしまった場合 | ヘルメット式潜水では腰部をベルトで締め付け,空気が下半身に入り込まないようにする |
| ③ | 流れのはやい場所で,ヘルメット式潜水において,送気ホースや信号索をまっすぐに張った場合 | 流れのはやい場所で,ヘルメット式潜水において,送気ホースや信号索を適度にたるませる |
| ④ | 潜水墜落時の対応の失敗 | 適度な浮力を得る |
| ⑤ | スクーバ式潜水でも起こる | 浮力の変化を十分に考慮してウェイト等は選ぶ |

**ここがポイント！**

以下の図のように流れのはやい場所でのヘルメット潜水においては,送気ホースや信号索を適度にたるませる。

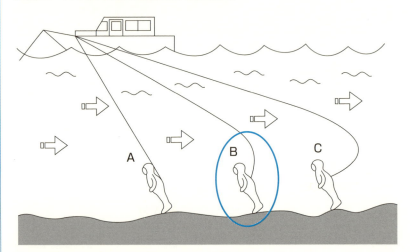

A：潮流により吹き上げられる
B：適度なたるみ
C：潮流による負荷がかかり過ぎる

## 潜水墜落

　ヘルメット式潜水服を着て潜水中に，潜水服内の圧力と外部の水圧とのバランスが崩れ，潜水服内の圧力が潜水深度の水圧よりも小さくなると，服の体積が収縮し浮力が小さくなります。その結果，沈降を始めるとさらに水圧が大きくなるので，一気に海底まで沈んでしまう現象のことです。

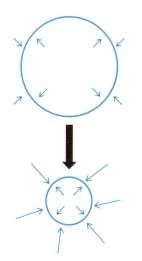

図3・2　潜水墜落の仕組み

表3・2　潜水墜落の発生原因と予防法

| | 発生原因 | 予防法 |
|---|---|---|
| ① | 送気量の不足 | 潜水者は潜水深度を変えるときは，必ず船上に連絡をし，送気員は潜水深度に適合した送気量を送気する |
| ② | 潜降索の不使用 | 潜降，浮上時には，必ず潜降索を使用する |
| ③ | 排気弁の調整の失敗 | ヘルメット式潜水では，排気弁の調整技術を完全に習得する |
| ④ | 吹き上げ時の処理の失敗 | 潜水深度に応じた送気の実施をする |

> 潜水墜落は沈降が始まると，水圧が増して潜水装備内の気体容積が縮小し，浮力がさらに減少するという悪循環を繰り返す。

### 確認問題

**潜水墜落又は吹き上げに関し，次のうち誤っているものはどれか。**
(1) 潜水墜落は，潜水服内部の圧力と水圧の平衡が崩れ，内部の圧力が水圧より低くなった時に起こる。
(2) 潜水墜落では，ひとたび浮力が減少して沈降が始まると，水圧が増して浮力が更に減少するという悪循環を繰り返す。
(3) ヘルメット式潜水では，潜水作業者に常に大量の空気が送気されており，排気弁の操作を誤ると吹き上げを起こすことがある。
(4) 流れのはやい場所でのヘルメット式潜水においては送気ホースや信号索をたるませず，まっすぐに張るようにして潜水すると吹き上げになりにくい。
(5) 吹き上げ時の対応を誤ると，逆に潜水墜落を起こすことがある。

### 解答と解説

吹き上げ防止策として流れのはやい場所でのヘルメット式潜水においては送気ホースや信号索を適度にたるませます。

**解答** (4)

# 3－2　水中拘束と溺れ

## 水中拘束

　下記のいくつかの原因で水中で身動きが取れなくなってしまうことがあります。水中拘束が発生すると，スクーバ式ではタンクの空気がなくなって窒息したり，長時間水圧がかかることで減圧症の発生リスクが高まったりします。命にもかかわるので潜水試験だけの対策でなく，実務でも知識として知っておく必要があります。

| | 原因 | 予防・処置 |
|---|---|---|
| ① | スクーバ式潜水でもロープに絡まるなどの水中拘束のおそれがある | 水中拘束によって水中滞在時間が延長した場合，当初の減圧時間を守らずに浮上し，再圧室に入るなどの処置をする |
| ② | 送気式潜水では送気ホースが他の作業船のスクリューやワイヤーに絡まる恐れがある | 送気式潜水では，障害物を通過する時はその上を越えていくようにする |
| ③ | ダムの取水口付近では足が吸い込まれ，動けなくなることがある | 潜水を予定する水域の状況を事前に調べて，潜水作業の手順を検討する |
| ④ | ブロックなどの重量物の下敷きになることがある | 沈船や洞窟などの狭いところに入る場合は，ガイドロープを使用する |
| ⑤ | 単独で潜水し，助けを求める事ができない | スクーバー式潜水では2人1組で作業をおこなう |

## 溺れ

| | 原因 | 予防・処置 |
|---|---|---|
| ① | 水が気管に入ると呼吸が止まって溺れることがある | ヘルメット式潜水では救命胴衣やBC（浮力調整具）は着用せずに命綱を用いる |
| ② | スクーバ式潜水では，些細なトラブルからパニック状態に陥り，正常な判断ができなかったり，くわえている潜水器を外してしまって溺れることがある | 救命胴衣やBC（浮力調整具）を使用する |
| ③ | 冷水中での潜水で体温が低下すると，不整脈や心停止が生じ溺れるおそれがある | ドライスーツを着用し，体温の低下を防ぐ |

3日目　潜水事故の要因と対処法　39

> ヘルメット式潜水では命綱を用い，他の潜水では救命胴衣やBC（浮力調整具）を使用する。

### 確認問題

**水中拘束又は溺れに関し，次のうち正しいものはどれか**

(1) 水中拘束によって水中滞在時間が延長した場合であっても，当初の減圧時間をきちんと守って浮上する
(2) 送気ホースを使用しないスクーバ式潜水ではロープなどに絡まる水中拘束のおそれはない
(3) スクーバ式潜水では，些細なトラブルからパニック状態に陥り，正常な判断ができなかったり，くわえている潜水器を外してしまって溺れることがある
(4) 水が気管に入っただけでは，呼吸が止まることはないが，気管支や肺に入ってしまうと窒息状態になって溺れることがある
(5) ヘルメット式潜水では，溺れを予防するために，救命胴衣又はBCを必ず使用する

### 解答と解説

(1) **緊急の場合は，とにかく浮上し**，再圧室に入ることが大切です。
(2) スクーバ式潜水でもロープに絡まるなどの**水中拘束のおそれがあります**。
(4) 水が気管に入ると**呼吸が止まって溺れる**ことがあります。
(5) ヘルメット式潜水では**命綱を用います**。

解答　(3)

## 3-3　海中生物による事故

海中生物はさまざまな危険性をもっています。潜水士が遭遇しやすい生物にはどのような危険性があるのか認識しておく必要があります。

| 生物名 | 危険性 |
|---|---|
| サメ | 血に対して敏感であるのでケガをしたまま又は血を流している魚を持ったまま潜水することは非常に危険である |
| ミズタコ，ウツボ | かみ傷 |
| フジツボ | きり傷 |
| イモガイ類，ガンガゼ等 | 刺し傷 |

・**噛み傷**…かまれると，指などを噛みちぎられることもあります。

代表的な生物例）ミズタコ，ウツボ，サメ，シャチ

・**切り傷**…鋭い面に触れると，潜水服の上からでも皮膚が傷つくことがあります。

代表的な生物例）サンゴ，フジツボ

・**刺し傷**…ヒレなどに毒をもっているので，触れないようにします。

代表的な生物例）ガンガゼ（毒ウニ），イモガイ，ミノカサゴ

# 3－4　水中作業による事故

　水中作業においても，空気中に比べて様々な危険要因があります。例えば，電気伝導性が高い（電気を通しやすい），視界が悪い，窒息の恐れがあるなど。そこで，危険性をよく心得ておかなければなりません。

| 水中作業の種類 | 危険性・予防 |
|---|---|
| 溶接・溶断作業 | ・アーク溶接作業では，身体の一部が溶接棒と溶接母材に同時に接触すると，感電により苦痛を伴うショックを受けることがある。また海水の電気伝導度が高いので人体への感電を生じるおそれがある<br>・ガス溶断作業では，作業時に発生したガスが滞留してガス爆発を起こし，鼓膜を損傷することがある |
| 潜水作業船を使用する場合 | ・送気ホースが潜水作業船のスクリューに接触したり，巻き込まれることがあるので，クラッチ固定装置の設置やスクリューカバーの取り付けを行う<br>・海上衝突を防止するために，潜水作業船に下図に示す様式の国際信号書 A 旗を掲揚する<br><br>青色<br>白色 |
| コンクリートブロック，魚礁等を取り扱う水中作業 | 潜水作業者が動揺するブロックなどに挟まれたり，送気ホースがブロックの下敷きになり，送気が途絶することがある |
| 小型の潜水作業船でコンプレッサーの動力に船の主機関を利用する場合 | ・クラッチが誤作動してスクリューが回転し，送気ホースを切断するおそれがある。また，コンプレッサーの吐出空気中には油分・水分などがあるので，除去する必要がある<br>・コンプレッサーの空気取入口は新鮮な空気を入れるために機関室の外部に設置する |

42

潜水業務における危険性又はその防止対策に関し，次のうち誤っているものはどれか。
(1) コンクリートブロック，魚礁等を取り扱う水中作業においては，潜水作業者が動揺するブロックなどに挟まれたり，送気ホースがブロックの下敷きになり，送気が途絶することがある。
(2) 水中でのアーク溶接作業では，身体の一部が溶接棒と溶接母材に同時に接触すると，感電により苦痛を伴うショックを受けることがある。
(3) 水中でのガス溶断作業では，作業時に発生したガスが滞留してガス爆発を起こし，鼓膜を損傷することがある。
(4) 送気式潜水による作業では，送気ホースが潜水作業船のスクリューに接触したり，巻き込まれることのないようにクラッチ固定装置の設置やスクリューカバーの取り付けを行う。
(5) 潜水作業中，海上衝突を防止するために，潜水作業船に下図に示す様式の国際信号書 A 旗板を掲示する。

赤色

### 解答と解説

図の A 旗の「赤色」部分が正しくは「青色」です。

解答　(5)

# 3－5　特殊環境下による事故

　潜水業務を行う水域の状況は，様々ありますが，水温や気圧，水の汚染度に応じた潜水をすることが大切です。ここでは，特殊環境下における注意事項をまとめておきます。

| 潜水環境 | 注意事項等 |
|---|---|
| 冷水 | ウェットスーツよりもドライスーツの方が体熱の損失が少ない |
| 河川 | ・流れの速さに注意し，命綱（ライフライン）を使用したり，装着するウェイト重量を増やしたりする<br>・河口付近の水域は，一般に視界がわるく降雨後はさらに視界は低下するので，降雨後は潜水に適していない |
| 寒冷地 | 送気ホースや排気弁，レギュレーターや潜水呼吸器のデマンドバルブが凍結することがあるので，水温のほか気温の低下にも注意する必要がある |
| 山岳部のダムなど | 高所域の潜水では海面に比べて環境圧が低いので，海洋での潜水よりも長い減圧浮上時間が必要となる |
| 暗渠内 | ・非常に危険であるので，潜水作業者は豊富な潜水経験と高度な潜水技術，精神的な強さが必要とされる<br>・機動性に優れているスクーバ式潜水により行われることが多いが，非常に危険であるので，緊急時の呼吸ガス設備，救援に当たる潜水者の配置など，考え得る最高の安全管理体制で臨む必要がある |
| 汚染域 | フーカー式潜水やスクーバ式潜水は不適当である |

特殊な環境下における潜水に関し，次のうち誤っているものはどれか。
(1) 暗渠内潜水は非常に危険であるので，潜水作業者は豊富な潜水経験，高度な潜水技術及び精神的な強さが必要とされる。
(2) 冷水中ではウェットスーツよりドライスーツの方が体熱の損失が少ない。
(3) 河川での潜水では，流れの速さに特に注意する必要があり，命綱（ライフライン）を使用したり，装着するウェイト重量を増やしたりする。
(4) 寒冷地での潜水では，潜水呼吸器のデマンドバルブ部分が凍結することがある。
(5) 山岳部のダムなど高所域での潜水では，海面に比べて環境圧が低いので，海洋での潜水よりも減圧浮上時間は短くできる。

### 解答と解説

高所域の潜水では海面に比べて環境圧が低いので，海洋での潜水よりも**長い減圧浮上時間**が必要となります。

解答　(5)

## 潮流における危険性

潮流は潮の干満によって1日2回ずつおこる流れのことで，上げ潮と下げ潮の間には潮の流れがとまる**憩流**があり，**潜水作業はこの時間帯に行う**ようにする。

以下の特徴・危険性があります。

| 特徴・予防 | 危険性 |
| --- | --- |
| 開放的な海域では弱く，湾口や水道，海峡といった狭く複雑な海岸線をもつ海域では強くなる | 潮流の早い水域での潜水作業は，減圧症が発生する危険性が高い |
| スクーバ式潜水の場合は命綱を使用する | 潮流は小潮で弱く，大潮で強くなる |
| 潮流の抵抗を受ける度合いはヘルメット式潜水＞全面マスク式＞スクーバ式潜水の順である | |

潜水業務における潮流による危険性に関し，次のうち正しいものはどれか
(1)　潮流の早い水域での潜水作業は，減圧症が発生する危険性が高い。
(2)　潮流は干潮と満潮がそれぞれ1日に通常1回ずつ起こることによって生じる。
(3)　大潮の時の潮流は，小潮の時の潮流よりも流れが遅くなる。
(4)　潮流は湾口や水道，海峡といった狭く，複雑な海岸線をもつ海域では弱いが，開放的な海域では強い。
(5)　送気式潜水では，潮流による抵抗がなるべく小さくなるよう，下図のAに示すように送気ホースをたるませず，まっすぐに張るようにする。

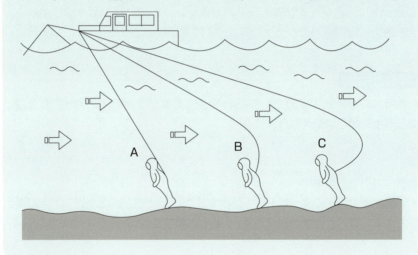

### 解答と解説

(2)　潮流は干潮と満潮がそれぞれ1日に**通常2回ずつ**起こります。
(3)　大潮の時の潮流は，小潮の時の潮流よりも**流れが早くなります**。
(4)　設問文は逆で，潮流は湾口や水道，海峡といった狭く，複雑な海岸線をもつ海域では強く，開放的な海域では弱くなります。
(5)　送気式潜水では，潮流による抵抗がなるべく小さくなるよう，図のBに示すように適度にたるませます。

解答　(1)

# 第2編
# 送気，潜降および浮上

# 4日目 潜水業務に必要な送気

## 4-1 送気系統

　送気系統とは，ストレーナで取り入れられた空気が潜水者に送気されるまでの空気の流れのことをいいます。試験では設備の名称および空気の流れる順を問われます。

　送気系統は**送気式潜水**と**応需（デマンド）式潜水**によって2つに分けられます。

### 送気式潜水（ヘルメット式潜水，軽便マスク式）

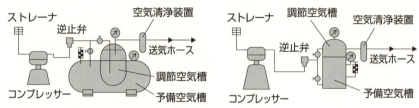

※図では描かれていないが，空気清浄装置と送気ホースとの間に流量計が取り付けられている。

**図4・1**

　本試験では，ストレーナから潜水者までの空気の流れる順番が問われます。下記の順番となりますが，こちらは図で覚えた方が良いでしょう。

> コンプレッサー→逆止弁→調節空気槽→予備空気槽→空気清浄装置→流量計→ホース→腰バルブ→ヘルメット

　試験に出題される器具と概要をまとめておきました。

| 設備・器具の名称 | 使用上の注意事項 |
|---|---|
| 流量計 | ・空気清浄装置と送気ホースの間に取り付けて，適量が送気されているかを確認する計器<br>・流量計には特定の送気圧力による流量が目盛られており，その圧力以外で送気するには換算が必要<br>・定期点検は，本体のキズ，破損等の有無，目盛板の油などによる汚染の有無，作動状況について行う |
| コンプレッサー | ・コンプレッサーの空気取入口は，機関室の外部に設置する。<br>・圧縮効率は圧力の上昇に伴って低くなる |
| 予備空気槽 | 潜水前には予備空気槽の圧力がその日の最高潜水深度の圧力の1.5倍以上となっていることを確認する |
| 調節空気槽 | ・空気の流れを整え，油分，水分を分離する機能を持つ。<br>・終業後は残った空気をドレーンコックから全て排出しておく |
| 空気清浄装置 | 清浄材はフェルトや活性炭を使用し，臭気や水分・油分を取除くが，一酸化炭素と二酸化炭素を除去することはできない |
| 送気ホース | ・始業前に，継ぎ手部分のゆるみや，漏れがないかを確認する。具体的にはホースの最先端を閉じ，最大使用圧力以上の圧力をかけて，耐圧性と空気漏れの有無を確認する<br>・ヘルメット式潜水では呼び径が13 mm，軽便マスク式では呼び径8 mmのホースを使用する<br>・比重により，沈用，半沈用，浮用の3種類のホースがあり，作業内容によって使い分けられる |
| 送気用配管 | コンプレッサーと空気その接続には金属管の銅パイプ又はフレキシブルパイプが使用されている |

では，実際の問題を2問見てみましょう。

ヘルメット式潜水の送気系統を示した下図において、AからCまでの設備の名称として、正しいものの組合せは(1)～(5)のうちどれか。

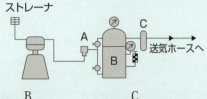

|     | A      | B            | C            |
| --- | ------ | ------------ | ------------ |
| (1) | 逆止弁 | 調節用空気槽 | 空気清浄装置 |
| (2) | 安全弁 | 予備空気槽   | 調節用空気槽 |
| (3) | 逆止弁 | 予備空気槽   | 空気清浄装置 |
| (4) | 安全弁 | 調節用空気槽 | 予備空気槽   |
| (5) | 逆止弁 | コンプレッサー | 空気清浄装置 |

**解答と解説**

設備の名称がよく問われます。確実に覚えましょう！　　　解答　(3)

送気業務に必要な設備に関し、次のうち誤っているものはどれか。
(1) 流量計は、空気清浄装置と送気ホースの間に取り付けて、潜水作業者に適量の空気が送気されていることを確認する計器である。
(2) 流量計には、特定の送気圧力による流量が目盛られており、その圧力以外で送気するには換算が必要である。
(3) 送気ホースは、始業前に、ホースの最先端を閉じ、最大使用圧力以上の圧力をかけて、耐圧性と空気漏れの有無を点検、確認する。
(4) 潜水前には、予備空気槽の圧力がその日の最高潜水深度の圧力の1.5倍以上となっていることを確認する。
(5) フェルトを使用した空気清浄装置は、潜水作業者に送る圧縮空気に含まれる水分と油分のほか、二酸化炭素と一酸化炭素を除去する。

**解答と解説**

空気清浄装置では、水分と油分は分離できますが、二酸化炭素と一酸化炭素は除去できません。　　　解答　(5)

## 応需（デマンド）送気式（フーカー式，全面マスク式）

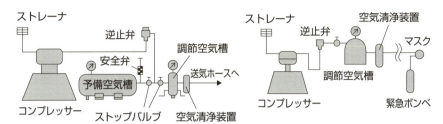

図 4・2

　ヘルメット式との違いは，緊急ボンベを潜水士が装備している場合は，右図のように予備空気槽を省略することもできます。

| 設備・器具の名称 | 使用上の注意事項 |
|---|---|
| 送気ホース | 全面マスク式潜水では呼び径8mmのものが使われている |

※未記入の設備については，送気式と共通

### 確認問題

全面マスク式潜水の送気系統を示した下図において，AからCの設備の名称の組合せとして，正しいものは(1)〜(5)のうちどれか。

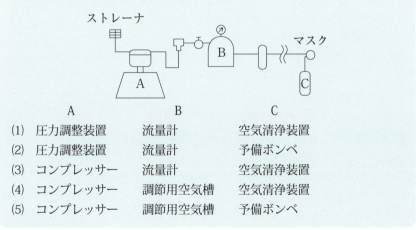

|   | A | B | C |
|---|---|---|---|
| (1) | 圧力調整装置 | 流量計 | 空気清浄装置 |
| (2) | 圧力調整装置 | 流量計 | 予備ボンベ |
| (3) | コンプレッサー | 流量計 | 空気清浄装置 |
| (4) | コンプレッサー | 調節用空気槽 | 空気清浄装置 |
| (5) | コンプレッサー | 調節用空気槽 | 予備ボンベ |

### 解答と解説

　こちらも，ヘルメット式と同じぐらいの出題頻度ですので，確実に設備名は覚えておきましょう！

**解答** (5)

# 4－2　スクーバ式潜水の給気可能時間の計算

よく出題される計算問題として，ここでは例題を2問挙げながら説明していきます。パターンが決まっているので解法を覚えて下さい。

---

**例題**　平均20 L/分の呼吸を行う潜水作業者が水深20 mにおいて，容積14 L，空気圧力19 MPa（ゲージ圧）のボンベを使用してスクーバ式潜水により潜水業務を行う場合の潜水可能時間に最も近いものは次の内どれか。
　　　ただし，ボンベの圧力は緊急用に3 MPaは残すこととする

　(1)　25
　(2)　28
　(3)　37
　(4)　43
　(5)　45

---

### 解答と解説

① 使用できるボンベの給気量は
　給気量 ＝（空気圧力－3 MPa）×ボンベの容積÷大気圧
　　　　 ＝（19－3）×14÷0.1 ＝ 2240 L
② 水深20 mでの潜水者の呼吸量は
　呼吸量 ＝ 平均呼吸量×水深における絶対圧力
　　　　 ＝ 20 L/分×3気圧　　（水深20 mは3絶対圧力）
　　　　 ＝ 60 L/分
③ 水深20 mでの給気可能時間は，①，②より
　給気可能時間 ＝ 使用できる給気量÷呼吸量
　　　　　　　 ＝ 2240÷60 ≒ 37分

まずは問題文中のMPaをatm（気圧に変更）すると分かりやすくなります。
19 MPaは約190気圧（atm）になりますので，190倍に圧縮されて入っている事になります。最終的に3 MPa ＝ 30気圧（atm）残すため，使える空気の量は160倍になります。

つまり，14 Lのタンクの160倍の量（2240 L）を呼吸に使える事になります。使用する水深は20 mになるため3気圧（atm）になるため，毎分60 Lの空気を消費することになります。

　　2240 L÷60 L ≒ 37分間になります。　　　　　　　**解答**　(3)

> **例題** 平均20 L/分の呼吸を行う潜水作業者が，水深10 mにおいて，内容積12 L，空気圧力19 MPa（ゲージ圧力）の空気ボンベを使用してスクーバ式潜水により潜水業務を行う場合の潜水可能時間に最も近いものは次のうちどれか。
> ただし，空気ボンベの残圧が5 MPa（ゲージ圧力）になったら浮上するものとする。
> (1) 37分　(2) 42分　(3) 47分　(4) 52分　(5) 57分

### 解答と解説

① 使用できるボンベの給気量は
　給気量 =（空気圧力−5 MPa）×ボンベの容積÷大気圧
　　　　=（19−5）×12÷0.1 = 1680 L

② 水深10 mでの潜水者の呼吸量は
　呼吸量 = 平均呼吸量×水深における絶対圧力
　　　　= 20 L/分×2気圧　（水深10 mは2絶対圧力）
　　　　= 40 L/分

③ 水深10 mでの給気可能時間は
　給気可能時間 = 使用できる給気量÷呼吸量
　　　　　　　= 1680÷40 ≒ 42分

まずは問題文中のMPaをatm（気圧に変更）すると分かりやすくなります。
19 MPaは約190気圧（atm）になりますので，190倍に圧縮されて入っている事になります。最終的に5 MPa = 50気圧（atm）残すため，使える空気の量は140倍になります。

つまり，12 Lのタンクの140倍の量（1680 L）を呼吸に使える事になります。使用する水深は10 mになるため2気圧（atm）になるため，毎分40 Lの空気を消費することになります。

　　1680 L÷40 L ≒ 42分間になります。　　　　　　　解答　(2)

#### ここがポイント！

給気可能時間の計算問題の解法
1) 大気圧下で使用できる空気の量を求める
2) 使用する水深下での呼吸量を求める（水深と呼吸量は比例する）
3) 使用できる空気量を，水深に応じた呼吸量で割って求める

# 4－3　潜降・浮上の原則

## ヘルメット式潜水などの送気式潜水の場合

### 潜降時の注意点

・潜水はしごを利用して，頭部まで水中に没して潜水器の状態を確認する
・潜降索により潜降するときは潜降索を両足の間に挟み，片手で潜降索をつかむようにして，徐々に潜降する
・**熟練者でも潜降索を用いて潜降する**
・潜降速度は毎分 **10 m 程度**
・潮流がある場合は，**潮流の方向に背を向ける**ようにする
・送気ホースは潜降中は腕に **1 回転だけ**巻き付けておき，突発的な力が直接潜水器におよばないようにする

### 浮上時の注意点

・浮上の連絡を交わしたのち，緊急浮上時以外の場合は**毎分 10 m を超えない**速度で浮上する
・無停止減圧の範囲内の潜水の場合でも，水深 **6 m 又は 3 m** で浮上停止を行うようにする
・潜水作業者が浮力調整で浮上できず，潜降索をたぐって浮上するときは**連絡員が索を引き上げ，浮上を補助**する
・緊急浮上後はできるだけ速やかに再圧室に入れ，その日の**最大の潜水深度**に相当する圧力に加圧する

それでは，実際の問題を見てみましょう！

送気式潜水における潜降の方法に関し，次のうち誤っているものはどれか。
(1) 潜降を始めるときは，潜水はしごを利用して，頭部まで水中に没して潜水器の状態を確認する。
(2) 潜降索により潜降するときは，潜降索を両足の間に挟み，片手で潜降索をつかむようにして徐々に潜降する。
(3) 熟練者が潜降するときは，潜降索を用いず排気弁の調節のみで潜降してよいが，潜降速度は毎分 10 m 程度で行うようにする。
(4) 潮流がある場合には，潮流によって潜降索から引き離されないように，潮流の方向に背を向けるようにすると良い。
(5) 潮流や波浪によって送気ホースに突発的な力が加わることがあるので，潜降中は，送気ホースを腕に 1 回転だけ巻きつけておき，突発的な力が直接潜水器に及ばないようにする。

### 解答と解説

熟練者でも潜降索を用いて，潜降するようにします。

解答 (3)

## スクーバ式潜水などの自給気式潜水の場合

### 潜降時の注意点

・水面までの高さが **1.5 m 程度**であれば，片手でマスクをおさえ，足を先にして水中に飛び込んでも支障はない
・岸から海に入る場合，肩の高さまで歩いていき，そこで**スーツ内の余分な空気を排出**する
・**BC** を装着している場合，インフレーターを左手で肩より上にあげ**排気ボタン**を押して潜降する
・口にくわえたレギュレーターのマウスピースに空気を吹き込み，セカンドステージの低圧室とマウスピース内の水を押し出してから呼吸を開始する
・耳に圧迫感を感じたときは，**2〜3秒その水深に止まって耳抜きをする**
・潜水中の遊泳で視界のきかないときは**腕を前方**にのばして遊泳する
・マスクの中に水が入ってきたときは，深く息を吸い込んでマスクの上端を顔に押し付け，鼻から強く息を噴き出して，**マスクの下端**から水を排出する

### 浮上時の注意点

・BC を装着している場合，インフレーターを肩より上にあげ，いつでも排気
ボタンを押せる状態で周囲を確認しながら浮上する
・浮上開始の予定時間になった時，又は，残圧計の針が警戒領域に入ったとき
は浮上を開始する
・自分が排気した気泡を追い越さないような速度で浮上する
・バディブリージングは緊急時の手段であり，多くの危険が伴うので，万一の
場合に備えて日頃から訓練を行い，安全に技術を習得しておく必要がある。

### 確認問題

**スクーバ式潜水における浮上の方法に関し，次のうち誤っている
ものはどれか。**

(1) 浮上開始の予定時間になったとき又は残圧計の針が警戒領域に入っ
たときは，浮上を開始する。

(2) BC を装着したスクーバ式潜水で浮上する場合，インフレーターを肩
より上に上げ，いつでも排気ボタンを押せる状態で周囲を確認しなが
ら，浮上する。

(3) 浮上速度の目安として，小さな気泡を追い越さないような速度で浮
上する。

(4) 無停止減圧の範囲内の潜水でも，安全のため，水深 10 m の位置で浮
上停止を行う。

(5) バディブリージングは緊急避難の手段であり，多くの危険が伴うの
で，万一の場合に備えて日頃から訓練を行い，完全に技術を習得して
おかなければならない。

### 解答と解説

無停止減圧の範囲内である場合，水深 6 m ～ 3 m の位置で浮上停止を行い
ます。

**解答** (4)

### 減圧理論（ZH-L16 モデル）

窒素などの不活性ガスは潜水して高気圧下に人体がさらされると，潜水時間
の経過とともに体内に取り込まれていきます。その際，生体の組織を不活性ガ

スが体内に取り込まれていく移動の速さ（半飽和時間）の違いに応じて、**16の組織に分類して、不活性ガスの分圧を計算します**。

ここで、半飽和時間とは加圧前の圧力から加圧後の飽和圧力の中間の圧力まで不活性ガスが生体内に取り込まれる時間をいいます。半飽和組織の「組織」とは、**実際の体の一部の具体的な組織のことではなく、計算上に分類した理論上の組織のことです**。潜水によって、不活性ガスは体内に取り込まれていき、時間の経過とともに最終的にはその環境圧力下における不活性分圧と等しくなります。この時、等しくなった状態を「飽和」といい、その圧力を「飽和圧力」といいます。

この組織は理論上のものですが、不活性ガスの取り込みが血液の流れの多さなどに関係し、不活性ガスの**半飽和時間が短い組織は、血流が豊富であり不活性ガスの移動が速く、遅い組織は、血流が乏しい**といえます。また、すべての半飽和組織の半飽和時間は、窒素よりヘリウムの方が短いです。

　　生体の組織をいくつかの半飽和組織に分類して不活性ガスの分圧の計算を行うビュールマンの ZH-L16 モデルにおける半飽和時間及び半飽和組織に関し、誤っているものは次のうちどれか。
(1) 環境における不活性ガスの圧力が加圧された場合に、加圧前の圧力から加圧後の飽和圧力の中間の圧力まで不活性ガスが生体内に取り込まれる時間を半飽和時間という。
(2) 生体の組織を、半飽和時間の違いにより、16 の半飽和組織に分類し、不活性ガスの分圧を計算する。
(3) 半飽和組織は、理論上の概念として考える組織（生体の構成要素）であり、特定の個々の組織を示すものではない。
(4) 不活性ガスの半飽和時間が短い組織は、血流が豊富であり、半飽和時間が長い組織は、血流が乏しい。
(5) すべての半飽和組織の半飽和時間は、ヘリウムより窒素の方が短い。

### 解答と解説

すべての半飽和組織の半飽和時間は窒素より**ヘリウムの方が短い**です。

解答　(5)

## 酸素中毒を表す計算式

酸素中毒を表す数式は次式で示されます。

$$\text{UPTD} = t \times \left( \frac{PO_2 - 50}{50} \right)^{0.83}$$

t：当該区間での経過時間（分）

$PO_2$：上記 t の間の平均酸素分圧（kPa）　（$PO_2$>50 の場合に限る。）

50 kPa を超える酸素分圧に暴露されると**肺酸素中毒**に冒されることが分かっており，**1気圧の酸素に1分間暴露されたときに受ける毒性の量を1 UPTD（肺酸素毒性量単位）**といいます。ここで，t は当該深度での経過時間，$PO_2$はその間の平均酸素分圧を表しています。

**1日**あたりの許容最大被ばく量を 600 UPTD，**1週間**あたりの許容最大被ばく量を 2,500 CPTD（累積肺酸素毒性量単位）とします。連日作業をする場合は，1日当たりの酸素ばく露量が**平均化されるように**します。

### 確認問題

潜水作業における酸素分圧，肺酸素毒性量単位（UPTD）及び累積肺酸素毒性量単位（CPTD）に関し，誤っているものは(1)～(5)のうちどれか。

なお，UPTD は，所定の加減圧区間ごとに次の式により算出される酸素毒性の量である。

$$\text{UPTD} = t \times \left( \frac{PO_2 - 50}{50} \right)^{0.83}$$

t：当該区間での経過時間（分）

$PO_2$：上記 t の間の平均酸素分圧（kPa）

（$PO_2$>50 の場合に限る。）

(1)　一般に 50 kPa を超える酸素分圧にばく露されると，肺酸素中毒に冒される。

(2)　1 UPTD は，100 kPa（約1気圧）の酸素分圧に1分間ばく露されたときの毒性単位である。

(3)　1日当たりの酸素の許容最大被ばく量は，800 UPTD である。

(4)　1週間当たりの酸素の許容最大被ばく量は，2,500 CPTD である。

(5)　連日作業する場合は，1日当たりの酸素ばく露量が平均化されるようにする。

### 解答と解説

1日当たりの酸素の許容最大ばく露量は，600 UPTD である。

**解答**　(3)

# 第3編
# 高気圧障害

# 5日目 人体のしくみ

## 5－1　呼吸器・循環器・神経系

　ここでは，高気圧環境が人体に与える影響について勉強していきます。

　そのためには，簡単に人体のしくみについて勉強する必要があります。また，高気圧障害がおこる仕組みや，心肺蘇生法についても勉強していきます。特に心肺蘇生法については，必須分野ですので，しっかりと学習していきましょう。

### 【呼吸器系】肺

　ご存知のように，人は酸素を取り入れて二酸化炭素を吐き出しています（ガス交換）が，どのようにしてガス交換をしているのでしょうか。

　下図のように呼吸ガスは，気管，気管支を通った後，肺の中にある小さな袋である肺胞に到達します。肺胞は両肺で合わせて6億個ほどあり，その表面積はテニスコート2面分にも相当します。そして肺胞の表面には毛細血管がはりめぐらされており，ガス交換を効率よく行っているのです。

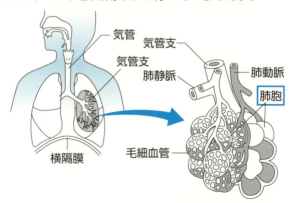

図 5・1　肺の模式図

肺胞は気管支の先端にある小さな袋，ここでガス交換をしている

肺胞とよく似た言葉で死腔というキーワードも試験に必須の言葉です。
　死腔とは，のどや気管，気管支など呼気は通るがガス交換に関与しない部分になります。**潜水呼吸器をつけると死腔が増加し，ガス交換が通常より困難**になります。
　肺胞に到達した酸素ガスは肺胞表面に張り巡らされている毛細血管に酸素を渡して代わりに，二酸化炭素を受け取ります。このガス交換のことを，肺呼吸といいます。毛細血管から取り入れられた酸素はこの後，血液の流れによって全身に運ばれ，体の細胞に酸素を渡して，二酸化炭素を受け取ります。このガス交換を内呼吸といいます。

> 肺呼吸…外部の空気と肺胞を取り巻く毛細血管とのガス交換
> 内呼吸…血管と細胞との間のガス交換

　さて，意外に思われるかもしれませんが，肺自体は**ただの袋**であり，ガス交換はできないのです。つまり風船とおなじと考えてください。ではどのようにして，膨らんだりしぼんだりしているのでしょうか？

　実は，**横隔膜と肋間筋との協調運動によって**，肺内部の圧力を変化させて，伸び縮みしています。
　息を**吸うとき**は横隔膜が**下がり**，肋間筋が収縮して肋骨を上方に引っ張ります。すると，胸腔が広がり，内部の圧力が下がります。
気体は圧力が高い方から低い方へ向かって流れます（水と同じ）ので，外部から胸腔へ空気が吸い込まれます。息を吐くときはこれと逆のことが起こります。

**5日目　人体のしくみ**

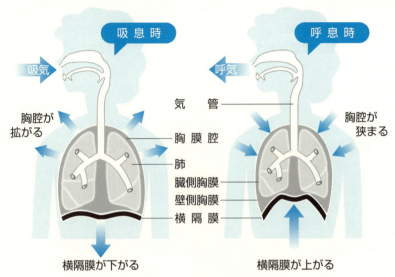

図 5・2　横隔膜の働き

- 肺自体はただの袋で運動能力はない
- 気体は圧力が高い方から低い方へ流れる

### 胸腔と胸膜腔

身体の中の空間は横隔膜によって，腹腔と胸腔に分けられます。胸腔には心臓や肺をはじめ，食道，気管などの器官が収まっています。

胸膜腔は胸膜（肺表面や肋骨の内側を覆っている膜）によってできるわずかな空間です。ここに何らかの原因で空気が入ると，息を吸っても肺が広がらなくなります。この状態を**気胸**といいます。

- 胸腔と胸膜腔は全くの別物
- 気胸とは肺が広がらない状態

#### 確認問題

**肺及び肺換気機能に関し，次のうち誤っているものはどれか。**

(1) 肺は，フイゴのように膨らんだり縮んだりして空気を出し入れしているが，肺自体には運動能力はない。
(2) 肺の表面と胸郭内面は，胸膜で覆われており，両者で囲まれた空間を胸膜腔という。
(3) 肺呼吸は，肺内に吸い込んだ空気中の酸素を取り入れ，血液中の二酸化炭素を排出するガス交換である。
(4) ガス交換は，肺胞及び呼吸細気管支で行われるが，そこから口・鼻側ではガス交換は行われない。
(5) 潜水作業者の呼吸流量は水深により変化しないが，摂取する酸素の質量は水圧に比例して増えるので，スクーバ式潜水の場合，水深が深いと空気ボンベの残圧は早く減少する。

#### 解答と解説

潜水作業者の呼吸流量は水深により増大します。

解答 (5)

## 【循環器系】心臓

心臓は全身に血液を送り出すポンプであるが、血液の循環経路をここではおさえることが重要です。言葉で覚えるよりイメージで覚えることを心がけください。何より血液が心臓から出て、戻ってくるまでの経路を頭に入れましょう。

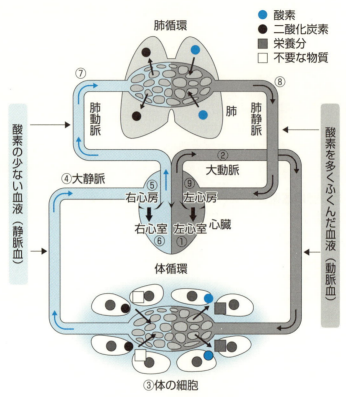

図5・3　体循環と肺循環

まず、心臓は4つの部屋に分かれていて上を心房、下を心室といいます。血液は、図の順で循環して体の細胞に酸素と栄養を与えています。ポイントは心房に血液が帰ってきて、心室から出ていきます。

血液の循環経路は図で覚える

その他のポイント

**動脈**…心臓から**出ていく**血液が流れる血管

**静脈**…心臓へ**帰っていく**血液が流れる血管

静脈血…二酸化炭素が多く酸素が少ない血液

　　　　注意すべき点は肺動脈です。図のように静脈血が流れています。

動脈血…酸素が多く二酸化炭素が少ない血液

冠状動脈…大動脈の根本から出て，心筋に酸素および栄養を送る動脈です。

卵円孔開存…胎児期には心臓の右心房と左心房がつながっていて，この孔を卵
　　　　　　円孔といいます。肺で呼吸すると通常は自然に閉じますが，開存
　　　　　　したままの人もいます。卵円孔開存は減圧症の発症とかかわりが
　　　　　　あるとされています。

## 確認問題

### 人体の循環器系に関し，次のうち誤っているものはどれか。

(1) 末梢組織から二酸化炭素や老廃物を受けとった血液は，毛細血管から静脈，大静脈を通って心臓に戻る。

(2) 心臓に戻った静脈血は，肺動脈を通って肺に送られ，そこでガス交換が行われる。

(3) 心臓は左右の心室と心房，すなわち四つの部屋に分かれており，血液は右心室から大動脈を通って体全体に送り出される。

(4) 心臓の左右の心房の間が卵円孔開存で通じていると，減圧症を引き起こすおそれがある。

(5) 大動脈の根元から出た冠状動脈は，心臓の表面を取り巻き，心筋に酸素と栄養素を供給する。

## 解答と解説

血液は，左心室から大動脈を通って体全体に送り出されます。

解答　(3)

## 【神経系】神経の伝達経路

外部から人は様々な刺激を受けています。その刺激は最終的には脳に到達して感じることができます。そして感じると同時に脳からさまざまな命令が神経を通じて筋肉などに出されます。

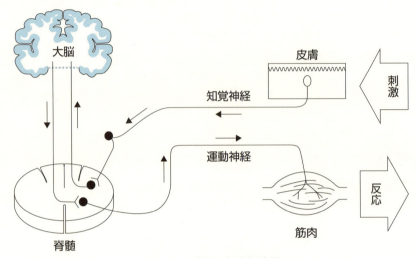

図 5・4 　神経の伝達経路図

神経系を分類すると次の図になります。まず**中枢神経系**と**末梢神経系**に分けられ，中枢神経系は**脳**と**脊髄**からなります。中枢神経には神経が集中しており，高次な機能を司っています。末梢神経は**体性神経**と**自律神経**に分けられ，それぞれ以下の働きをしています。

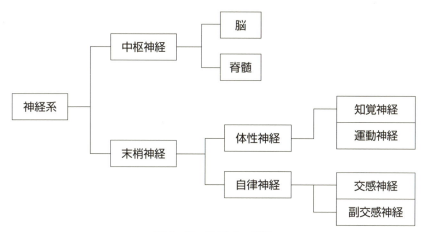

図5・5　神経系の分類

① **体性神経**…**知覚**神経と**運動**神経からなり，知覚神経は感覚器官からの刺激を中枢へ伝える。運動神経は中枢からの命令を運動器官に伝える神経。
② **自律神経**…**交感**神経と**副交感**神経からなり，生命維持に必要な呼吸や消化や循環等の作用を無意識的・反射的に調整する。

> **ここがポイント！**
> 刺激を受けて，筋肉に刺激が伝わるまでの経路は試験には頻出です。

### 確認問題

**人体の神経系に関し，次のうち誤っているものはどれか。**
(1) 神経系は，身体を環境に順応させたり動かしたりするために，身体の各部の動きや連携の統制をつかさどる。
(2) 神経系は，中枢神経と末梢神経系とに大別される。
(3) 中枢神経は，脳と脊髄から成っている。
(4) 末梢神経系は，体性神経と自律神経から成っている。
(5) 自律神経は，感覚神経と運動神経からなっている。

### 解答と解説

自律神経は**交感神経**と**副交感神経**からなっています。

解答　(5)

## 5－2　気体による疾患

　気体自体が毒性のあるものや，普段は害のない気体でも吸入する濃度によっては中毒症状を呈するものもあります。ここでは各種気体の中毒症状や中毒症状がおこる仕組みについて学習していきます。

### 酸素中毒
　酸素濃度が大きすぎると次のような中毒を引き起こします。酸素中毒は**二酸化炭素が多い**ときや水中や寒暑の折に発生しやすいです。酸素中毒は中枢神経が冒される脳酸素中毒と肺が冒される肺酸素中毒に分けられます。

① 　中枢神経系酸素中毒（脳酸素中毒）
　高い酸素分圧に暴露されることによって短時間で出現をします。症状としては吐き気やめまい，耳鳴り，筋肉のふるえがあり，特に痙攣発作が潜水中に起こると致命傷となります。酸素分圧が自給気式潜水器（スクーバ）では1.4 atm，ヘルメット潜水や全面マスク式などの送気式潜水器では 1.6 atm を限界としています。また二酸化炭素（炭酸ガス）が多いときは酸素中毒に，り患しやすいといわれています。

② 　肺酸素中毒
　0.5 atm 程度の酸素分圧の呼吸ガスを長時間呼吸した時に生じます。症状は軽度の胸部違和感，咳，痰などが主なもので致命的になることは通常は考えられませんが，肺活量が減少することがあります。

- 中枢神経系酸素中毒（脳酸素中毒）は急性で死に至ることもある。
- 肺酸素中毒は慢性型で通常は致命的には至らない

### 二酸化炭素中毒（炭酸ガス中毒）
生体内の炭酸ガス濃度が過剰になった際に次のような症状が現れます。
症状：頭痛，めまい，体のほてり，意識障害

以下のように各種潜水方法によっての発症原因を知っておくことも重要です。

**ヘルメット式潜水**…ヘルメットに吐き出した呼気により，二酸化炭素濃度が高くなって中毒を起こしやすい。予防法としては十分な送気を行います。
**全面マスク式潜水**…全面マスク（特に口鼻マスク）の装着が不完全な場合，漏れ出た呼気ガスを再呼吸するので注意が必要です。
**スクーバー式潜水**…ボンベ内のガスの消費量を減らす目的などで呼吸回数を故意に減らした場合に発症しやすいです。

なお，**炭酸ガス中毒になると酸素中毒や減圧症や後述する窒素酔い**にかかりやすくなるのでその意味でも注意が必要です。

- 炭酸ガス中毒の症状：頭痛，めまい，体のほてり，意識障害
- ヘルメット式潜水の炭酸ガス中毒は頻出

### 一酸化炭素中毒
一酸化炭素は酸素を運ぶ血中のヘモグロビンとのくっつきやすさが，酸素の200倍も強いために，一酸化炭素が存在するとヘモグロビンと結合してしまい全身に酸素が運べなくなる。きわめて低濃度の一酸化炭素でも発症し0.5％以下の濃度でも死に至ります。潜水における一酸化炭素中毒は呼気ガスにエンジンの排気ガスが混入することによって生じます。

症状には，頭重感，頭痛，吐き気，倦怠感などのほか，重い場合には意識の混濁，昏睡状態などがあります。

- 一酸化炭素はヘモグロビンときわめて結合しやすい

### 窒素酔い

一般に，深度が 40 m 前後以上になると，酒に酔ったような状態の窒素酔いの症状が現れます。窒素酔いは窒素の麻酔作用が出現して起こり，飲酒・疲労・不安などは窒素酔いを起こしやすくなるので，注意が必要です。

**窒素酔いは酒に酔ったような状態で正常な判断ができなくなる。**

#### 確認問題

潜水業務における二酸化炭素中毒又は酸素中毒に関し，次のうち正しいものはどれか。
(1) 二酸化炭素中毒は，二酸化炭素が血液中の赤血球に含まれるヘモグロビンと強く結合し，酸素の運搬ができなくなるために起こる。
(2) スクーバ式潜水では，開放回路型潜水器を用いるため，二酸化炭素中毒は生じないが，ヘルメット式潜水では，ヘルメット内に吐き出した呼気により二酸化炭素濃度が高くなって中毒を起こすことがある。
(3) 酸素中毒は，酸素分圧の高いガスの吸入によって生じる疾患で，呼吸ガス中に二酸化炭素が多いときには起こりにくい。
(4) 脳酸素中毒は，0.5 気圧程度の酸素分圧の呼吸ガスを長時間呼吸したときに生じ，肺酸素中毒は 1.4 ～ 1.6 気圧程度の酸素分圧の呼吸ガスを短時間呼吸したときに生じる。
(5) 肺酸素中毒の症状は，軽度の胸部違和感，咳，痰などが主なもので，致命的になることは通常は考えられないが，肺活量が減少することがある。

#### 解答と解説

(1) 一酸化炭素中毒の症状の文章です。
(2) スクーバ式潜水でも二酸化炭素中毒を生じるおそれがあります。
(3) 酸素中毒は酸素分圧が高いと起こりやすいですが，二酸化炭素が多い場合・寒さ・暑さなどの条件でも起こりやすくなります。
(4) 脳酸素中毒と肺酸素中毒の説明が逆です。

**解答** (5)

# 5－3　圧力による疾患

　ここでは，高気圧環境下で起こる具体的な障害名およびそのしくみについて勉強します。試験に頻出されるキーワードは**減圧症，チョークス，圧外傷，ブロック，スクイーズ，空気塞栓症**となります。

　圧力が関係する疾患として減圧症と圧外傷の二つに大別されます。それぞれ順にみていきましょう。

## 減圧症

　気体は圧力が上がるほど，液体に溶け込みやすくなります。潜水中では圧力が増加することによって窒素などの不活性ガスが体内に溶け込んでいます。この状態から急激に浮上すると，圧力の低下によって溶け込んでいたガスが気泡化し，血管の閉塞などを引き起こします。これが減圧症です。ただし，その発症メカニズムは非常に複雑でまだ未解明なこともあるようです

### 減圧症の分類

　基本的に1型と2型に分類されます。

#### 1型減圧症（局所の症状で軽症）

a）皮膚掻痒感（かゆみ）

b）皮膚の発赤　大理石斑

c）筋肉あるいは関節の痛み

d）リンパ浮腫

　皮膚の大理石斑，リンパ浮腫を発症した場合は，重い減圧症に進行する可能性があります。

#### 2型減圧症（全身に及ぶもので重症）

a）脊髄―知覚障害，運動障害，直腸膀胱障害等

b）脳―頭痛，意識障害，けいれん発作等

c）肺（チョークス）―前胸部違和感，胸痛，咳，喀痰等

d）内耳―めまい，吐き気，耳鳴り等

e）ショック

f）腰痛，腹痛等

　ヘリウムと酸素を多く使用する混合ガス潜水時に起きるのが特徴で，ガススイッチを行った直後に起きやすいといわれております。

**5日目　人体のしくみ**　71

- 皮膚や関節のかゆみを呈するものは比較的軽症
- 脳や脊髄や肺が冒されるのは重症
- **チョークス**…多数の気泡による肺の毛細血管の塞栓が原因で息切れ，胸痛，咳が出現します。

予防法

　減圧症は作業量の多い**重労働作業，寒気の潜水，高齢者，脱水状態の人，手術・外傷を受けた経験のある人に発症しやすい**といわれています。このような状態に該当する人はアルコールは避け，水分をしっかりととり，かつ減圧表の潜水時間のもう1ランク長い減圧表を適用するなどの処置が有効です。

　また，症状が疑われる際は，本人の了承のもと**医療機関につくまでの間，酸素ガスを吸引することは有効**といわれています。

　アルコール摂取は避け，水分を多く取っておくことは減圧症の予防上有効である。

　その他，減圧症のメカニズムは複雑で，規定の浮上速度や浮上停止時間を順守しても減圧症にかかることがあります。また，**通常は浮上後24時間以内に発症**しますが，**24時間を超えても発症することがあります**。

## 圧外傷

圧外傷は中耳腔や副鼻腔など体内の空間の容積が，潜降時の圧力によりつぶされることによっておこります。通常，均等に圧力がかかっていれば起こりませんが，**不均等に圧力がかかることで発症**します。圧外傷は潜降時，浮上時のいずれも発症します。

### 潜降時（スクィーズ：締め付け）

体腔内の容積の減少により生じ，よく発生するのは，中耳腔，副鼻腔，面マスクの内部，潜水服と皮膚の間などです。

### 浮上時（ブロック）

体腔の容積が増えることにより生じ，よく発生するのは，副鼻腔，肺などです。

- 不均等に圧力が体にかかることで発症する
- 潜降時⇒スクィーズ，浮上時⇒ブロック

### 確認問題

潜水によって生じる圧外傷に関し，次のうち誤っているものはどれか。

(1) 圧外傷は，水圧による疾患の代表的なものであり，水圧が身体に不均等に作用するときに生じる。
(2) 圧外傷は，潜降・浮上いずれのときでも生じ，潜降時のものをブロック，浮上時のものをスクィーズと呼ぶ。
(3) 潜降時の圧外傷は，中耳腔，副鼻腔，面マスクの内部，潜水服と皮膚の間などで生じる。
(4) 浮上時の圧外傷は，浮上による減圧のために体腔内の気体が膨張しようとすることにより生じる。
(5) 虫歯になって内部に密閉された空洞ができた場合，その部分で圧外傷が生じることがある。

### 解答と解説

潜降時のものをスクィーズ，浮上時のものをブロックとよぶ　　解答 (2)

第3編　高気圧障害

5日目　人体のしくみ

## 様々な圧外傷

### a) 肺圧外傷

息を止めたまま浮上あるいは急浮上するなどして,肺から空気がスムーズに排出できないと肺は過膨張となり,障害を引き起こします。

症状としては 胸痛,咳,血痰,息苦しさ,発熱,悪寒,皮下気腫による腫れなどが見られます。さらに重症化すると肺から入った気泡が心臓に入り,そこから動脈にのって末梢血管を閉塞する**空気塞栓症(動脈ガス塞栓症)**を引き起こします。一般的には浮上後すぐに意識障害や痙攣発作などの重篤な症状を示します。

予防法としては,絶対に息を止めて浮上してはいけません。

### b) 副鼻腔圧外傷

顔面の骨の中に,副鼻腔といわれる空間があります。通常,管によって鼻腔に開口し外界と通じていますが,生まれつき,**副鼻腔の通気性が悪かったり,風邪や鼻炎などによる炎症のため塞がった状態で潜水すると,圧外傷にり患**することになります。

症状としては額の周りや目や鼻の根部などの痛み,閉塞感,**鼻出血**などがあります。

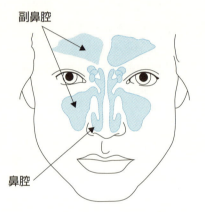

### c) 耳の圧外傷

耳は外側から外耳,中耳,内耳の三つに分かれています。**耳管は通常閉じており**,つばを飲み込むような動作(いわゆる耳抜き)で開き,鼓膜内外(外耳道と中耳腔)の圧力調整ができます。

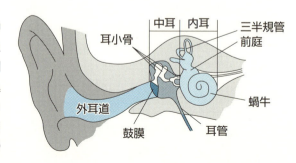

耳抜きがうまくいかないと，内耳に圧外傷を生じます。症状としては，耳の痛み，閉塞感，難聴，鼓膜の損傷によるめまい，感染症などです。

**耳栓**を使用すると，水圧で押し込まれ耳の器官を損傷します。

#### d）その他の圧外傷

潜水服と皮膚の間，面マスクと皮膚や目の間の空間による圧外傷潜行による潜水服の締め付けによる皮下出血，面マスクの顔面への圧迫による皮下出血，虫歯の処置後による**歯の空洞の圧外傷による痛み**などがあります。

#### 予防法

1) 潜降時はこまめに耳抜き，マスクの均圧を行います。
2) フードを強く締めすぎないようにします。
3) 風邪をひいたり，体調不良時は，耳管の通じが悪いので無理して潜水しないようにします。
4) 浮上時は常に息を吐きながら浮上します。
5) 浮上速度を早すぎないようにします。

### 確認問題

　**潜水による副鼻腔や耳の障害に関し，次のうち誤っているものはどれか。**

(1)　潜降の途中で耳が痛くなるのは，外耳道と中耳腔との間に圧力差が生じるためである。

(2)　中耳腔は，管によって咽頭と通じているが，この管は通常は閉じている。

(3)　耳の障害の症状には，耳の痛み，閉塞感，難聴，めまいなどがある。

(4)　前頭洞，上顎洞などの副鼻腔は，管によって鼻腔と通じており，耳抜きによってこの管を開いて圧力調整を行う。

(5)　副鼻腔の障害の症状には，額の周り，目・鼻の根部の痛み，鼻出血などがある。

### 解答と解説

耳抜きは耳の圧調整の名前であり，副鼻腔の圧調整には関係が有りません。

**解答**　(4)

**5日目　人体のしくみ**　75

### 骨壊死

骨の病変であり，なんらかの原因により骨組織が破壊されるものです。

減圧症にり患した人や無謀な潜水を繰り返した潜水漁師などに多く見られることから，減圧症と何らかの関係があるとされています。

### 症状

骨の幹部に発症した場合は，大きな障害はありませんが，**骨の端部（関節などの部分）に発症した場合は，歩行障害，激しい痛みが伴います。**

### 予防法

減圧表を遵守して，減圧症にり患した場合には再圧による充分な治療に努めることなどです。

## 5－4　温度による影響

### 水温による人体への影響

元々人の体は外部環境が変化しても以下の2つの働きによって体温を一定に保とうとする働きがあります。

①産熱…代謝によって体内で生じる熱のこと。

②放熱…汗をかいて熱を放出したり，血管を拡張して熱を放出したりする物理的な働きによって熱を放出することをいいます。

普段は産熱と放熱のバランスにより，体温は一定に保たれています。ところが，水中では熱の伝わりやすさ**（熱伝導度）が空気中の約25倍**も大きく，水の比熱は空気と比べて1000倍以上大きいので，体の熱が容易に外に移動し，低体温症に陥りやすくなります。

### 低体温症

体温が低下すると，以下のようなさまざまな症状が現れます。

| 体温 | 症状 |
|------|------|
| 35℃ | 思考力・意欲の低下 |
| 34℃ | 無気力・混乱により会話が困難 |
| 33℃ | 意識混濁・死亡率50% |
| 32℃ | 心臓の不整・運動能力の崩壊 |

一般に低体温症とは体温が35℃以下の時に発症しますが，36℃前後でも人によっては発症することがあります。対処法としては，体温を上げることが必要ですので，毛布で包む，温かい飲み物を与えるといった方法があります。アルコールの摂取は血管を拡張させ，放熱を促進するので，決して，**アルコールをあたえてはいけません**。その他，予防法としては，水温が20℃以下の場合にはドライスーツやウェットスーツを着用して潜水するなどがあります。

- 体温が **35℃以下** になると発症する。
- アルコールは決して与えてはいけない

### 確認問題

　人体に及ぼす水温の作用などに関し，次のうち誤っているものはどれか。

(1) 体温は，代謝によって生じる産熱と，人体と外部環境の温度差に基づく放熱とのバランスによって保たれる。
(2) 一般に水温が20℃以下の水中では，保温のためのウェットスーツやドライスーツの着用が必要となる。
(3) 水の比熱は空気に比べてはるかに大きいが，熱伝導率は空気より小さい。
(4) 水中で体温が低下すると，震え，意識の混濁や喪失などを起こし，死に至ることもある。
(5) 低体温症に陥った者にアルコールを摂取させると，皮膚の血管が拡張し，体表面からの熱損失を増加させるので，絶対に避けなければならない。

### 解答と解説

　熱伝導率も空気より水の方が大きくなります。熱伝導率とは，熱を伝えやすさの事です。

解答 (3)

## 5－5　救急処置法

　心肺停止や窒息状態あるいは減圧症など潜水業務には常に危険が伴います。潜水者は救急処置の知識を得て救急処置を実践できなければなりません。

### 一次救命処置の流れ

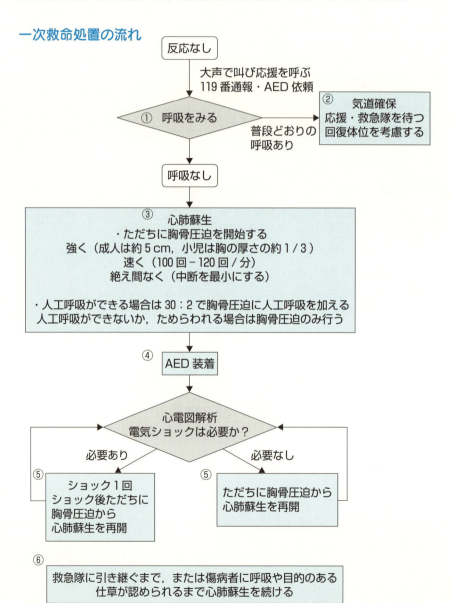

## ここがポイント！

① 呼吸の確認は 10 秒以内で胸と腹の動きを見て判断する
② 気道確保
呼吸があれば，以下の方法で気道を確保し，回復体位をとらせます
気道の確保法としては仰向けに寝かせた傷病者の額を片手で押さえながら，もう一方の手の指先をあごの先端にあて持ち上げる
③ 心肺蘇生
胸骨圧迫は約 5 cm 沈むように，1 分間に 100 回 – 120 回のテンポで行う。
人工呼吸ができる場合は，胸骨圧迫：人工呼吸を 30：2 のペースで繰り返す。
④ AED（自動体外式除細動器）の装着
電極パットは 1 枚を胸の右上（鎖骨の下），もう一枚を胸の左下（脇の下 5 cm〜8 cm）の 2 か所に取り付けます。
⑤ AED の使用
電気ショックを行ったあと，もしくは不要と判断されたときは即，胸骨圧迫を開始して心肺蘇生を続ける。意識が戻っても電極パッドははがさないようにする。

### 確認問題

**一次救命処置に関し，次のうち正しいものはどれか。**

(1) 気道を確保するためには，仰向けにした傷病者のそばにしゃがみ，後頭部を軽く上げ，顎を下方に押さえる。
(2) 呼吸を確認して普段どおりの息（正常な呼吸）がない場合や約 10 秒間観察しても判断できない場合は，心肺停止とみなし，心肺蘇生を開始する。
(3) 胸骨圧迫と人工呼吸を行う場合は，胸骨圧迫 10 回に人工呼吸 1 回を繰り返す。
(4) 胸骨圧迫は，胸が少なくとも 5 cm 沈む強さで胸骨の下半分を圧迫し，1 分間に少なくとも 60 回のテンポで行う。
(5) AED（自動体外式除細動器）を用いて救命処置を行う場合には，人工呼吸や胸骨圧迫は，一切行う必要がない。

## 解答と解説

⑴ 気道の確保は後頭部を下げ，顎を上げます。

⑶ 胸骨圧迫 30 回に対し人工呼吸 2 回の割合です。

⑷ 1 分間に 100 回 – 120 回のテンポで行う。

⑸ AED のメッセージ次第では胸骨圧迫や人工呼吸が必要です。

解答 ⑵

## 潜水業務への就業が禁止されている疾病

高気圧作業安全衛生規則では潜水作業により病状の悪化するおそれのある疾病や，障害を誘発するおそれのある疾病にかかっている人の就業を禁止しています。具体的には以下の表の疾病となります。

| 就業を禁止される疾病 |
| --- |
| 1．減圧症その他高気圧による障害又はその後遺症 |
| 2．肺結核その他呼吸器の結核又は急性上気道感染，じん肺，肺気腫その他呼吸器系の疾病 |
| 3．貧血症，心臓弁膜症，冠状動脈硬化症，高血圧症その他血液又は循環器系の疾病 |
| 4．精神神経症，アルコール中毒，神経痛その他精神神経系の疾病 |
| 5．メニエル氏病又は中耳炎その他耳管狭さくを伴う耳の疾病 |
| 6．関節炎，リウマチスその他運動器の疾病 |
| 7．ぜんそく，肥満症，バセドー氏病その他アレルギー性，内分泌系，物質代謝又は栄養の疾病 |

ただし，上記を覚えるのは大変ですので，よく試験に出題される項目として禁止されていない項目を覚えておきましょう。

### 禁止されていない疾病

・色覚異常

・白内障

・胃炎・胃下垂

その他，減圧症にかかった場合は，再圧治療によって完治したとしても，体内にまだ余分な窒素が残っており減圧症を再発するおそれがあるので，すぐに潜水業務に復帰することはできません。

- 試験対策としては，禁止されていない疾病を覚えておく
- 減圧症にかかったら，完治してもすぐには潜水業務を再開できない

**潜水作業者の健康管理に関し，次のうち誤っているものはどれか。**

(1) 潜水作業者に対する健康診断では，圧力の作用を大きく受ける耳や呼吸器などの検査のほか，必要な場合は，作業条件調査などを行う。
(2) 胃炎は，潜水業務に就業することが禁止されている疾病に該当しない。
(3) 肥満症は，潜水業務に就業することが禁止される疾病に該当しない。
(4) アルコール中毒は，潜水業務に就業することが禁止される疾病に該当する。
(5) 減圧症の再圧治療が終了した後しばらくは，体内にまだ余分な窒素が残っているので，そのまま再び潜水すると減圧症を再発するおそれがある。

**解答と解説**

肥満症は潜水業務に就業することが禁止される疾病に該当します。

解答 (3)

# 第4編
## 関係法令

# 6日目 関係法令

**潜水士試験で出題される法令としては以下になります。**
- 高気圧作業安全衛生規則（高圧則）
- 労働安全衛生法
- 労働安全衛生規則
- その他関連する法令

試験に出題されるのは，法令の中身であり法令名は覚える必要はありません。また，項目によっては複数の法令が関係してきますので，ここでは法令ごとではなく項目ごとに学習をしていくこととします。

## 1. 空気槽に関する法令

　ここでは，高圧則と厚生労働省告示を合わせて学習する必要があるので，テキストでは分かりやすくするために，2つの条文の要点をまとめておきます。

---

高圧則第8条および平成26年厚生労働省告示第457号

　事業者は，潜水業務に従事する労働者（以下「潜水作業者」という。）に空気圧縮機により送気するときは，当該空気圧縮機による送気を受ける潜水作業者ごとに，送気を調節するための空気槽及び事故の場合に必要な空気をたくわえてある空気槽（以下「予備空気槽」という。）を設けなければならない。

一　予備空気槽内の空気の圧力は，常時，最高の潜水深度における圧力の1.5倍以上であること。
二　予備空気槽の内容積は，以下の方法により計算した値以上であること。
1　潜水作業者に圧力調整器を使用させた場合
（要するにデマンド式（応需式）レギュレーターを使用する場合）

$$V = \frac{40\,(0.03\,D + 0.4)}{P}$$

$\begin{cases} V：予備空気槽の内容積（単位：リットル） \\ D：最高の潜水深度（単位：メートル） \\ P：予備空気槽の空気の圧力（単位：メガパスカル） \end{cases}$

---

2　前項に掲げる場合以外の場合
（要するに定量送気式の軽便マスク式やヘルメット式潜水）

$$V = \frac{60\,(0.03\,D + 0.4)}{P}$$

3　第一項の送気を調節するための空気槽が前項各号に定める予備空気槽の基準に適合するものであるとき，又は当該基準に適合する予備ボンベ（事故の場合に必要な空気をたくわえてあるボンベをいう。）を潜水作業者に携行させるときは，第一項の規定にかかわらず，予備空気槽を設けることを要しない。

- デマンド式（応需式）レギュレーターを使用する場合は 40
- 定量送気式の軽便マスク式やヘルメット式潜水の場合は 60
- P はゲージ圧力の 1.5 倍
- 計算問題は実際の過去問題で出題方式に慣れるのが近道

### 確認問題

　ヘルメット式潜水で空気圧縮機により送気する場合，潜水作業者ごとに備える予備空気槽の内容積 V を計算する次式の ☐ 内に入れる A から C の数字又は語句の組合せとして，法令上，正しいものは(1)～(5)のうちどれか。

　ただし，容積の単位は L，潜水深度の単位は m，圧力の単位は MPa でゲージ圧力を示す。

$$V = \frac{\boxed{A}\,(0.03 \times \boxed{B} + 0.4)}{\boxed{C}}$$

|   | A | B | C |
|---|---|---|---|
| (1) | 40 | 調節空気槽の容積 | 最高の潜水深度 |
| (2) | 60 | 最高の潜水深度 | 予備空気槽内の圧力 |
| (3) | 60 | 調節空気槽の容積 | 予備空気槽内の圧力 |
| (4) | 40 | 最高の潜水深度 | 予備空気槽内の圧力 |
| (5) | 60 | 調節空気槽の容積 | 最高の潜水深度 |

**解答と解説**

　ヘルメット式潜水なので，テキスト上記の「前項に掲げる場合以外の場合」の式を用います。

解答　(2)

## 2.　特別教育に関する法令

　業務の重要性と専門性から潜水作業者への送気の調整を行う送気員と減圧症治療のために入れられる再圧室を操作する再圧員については，特別教育を実施するように法令で定められています。

---

高圧則第11条　事業者は，次の業務に労働者を就かせるときは，当該労働者に対し，当該業務に関する特別の教育を行わなければならない。
　　四　潜水作業者への送気の調節を行うためのバルブ又はコックを操作する業務
　　五　再圧室を操作する業務

2.　前項の特別の教育は，次の表の上欄に掲げる業務に応じて，同表の下欄に掲げる事項について行わなければならない。

| 業務 | 教育すべき事項 |
|---|---|
| 潜水作業者への送気の調節を行うためのバルブ又はコックを操作する業務 | 一　潜水業務に関する知識に関すること。<br>二　送気に関すること。<br>三　高気圧障害の知識に関すること。<br>四　関係法令<br>五　送気の調節の実技 |
| 再圧室を操作する業務 | 一　高気圧障害の知識に関すること。<br>二　救急再圧法に関すること。<br>三　救急そ生法に関すること。<br>四　関係法令<br>五　再圧室の操作及び救急そ生法に関する実技 |

---

●安全衛生教育

労働安全衛生法第59条　3　事業者は，危険又は有害な業務で，厚生労働省令で定めるものに労働者をつかせるときは，厚生労働省令で定めるところにより，当該業務に関する安全又は衛生のための特別の教育を行なわなければならない。

● 特別教育を必要とする業務

労働安全衛生規則第36条　法第五十九条第三項　の厚生労働省令で定める危険
又は有害な業務は，次のとおりとする。

　二十三　潜水作業者への送気の調節を行うためのバルブ又はコックを操作す
　　る業務

　二十四　再圧室を操作する業務

● 特別教育の科目の省略

労働安全衛生規則第37条　事業者は，法第五十九条第三項　の特別の教育（以
下「特別教育」という。）の科目の全部又は一部について十分な知識及び技能
を有していると認められる労働者については，当該科目についての特別教育
を省略することができる。

● 特別教育の記録の保存

労働安全衛生規則第38条　事業者は，特別教育を行なつたときは，当該特別教
育の受講者，科目等の記録を作成して，これを三年間保存しておかなければ
ならない。

\ここが/
☞ ポイント！

・特別教育が必要な要員は送気員と再圧員
・十分な知識と技能を有しているものは特別教育を省略することができる
・特別教育の講師の資格については，特に規定はない
・特別教育の実施内容などについての保存期間は3年間
・高圧則第11条の教育すべき事項も頻出

6日目　関係法令　　87

次のAからEの業務について，法令上，その業務に労働者を就かせるときに特別の教育を行わなければならないものの組合せは(1)～(5)のうちどれか。

　A　潜水作業者への送気の調節を行うためのバルブ又はコックを操作する業務
　B　潜水器を点検する業務
　C　再圧室を操作する業務
　D　潜水作業者へ送気するための空気圧縮機を運転する業務
　E　水深10m未満の場所における潜水業務

(1)　A, C
(2)　A, E
(3)　B, C
(4)　B, D
(5)　D, E

### 解答と解説

送気員と再圧員は特別教育が必要です。

**解答**　(1)

## 3. ガス分圧の制限に関する法令

高圧則第15条　事業者は，酸素，窒素又は炭酸ガスによる高圧室内作業者の健康障害を防止するため，作業室及び気こう室における次の各号に掲げる気体の分圧がそれぞれ当該各号に定める分圧の範囲に収まるように，作業室又は気こう室への送気，換気その他の必要な措置を講じなければならない。
　一　酸素　18キロパスカル以上160キロパスカル以下（ただし，気こう室において高圧室内作業者に減圧を行う場合にあつては，18キロパスカル以上220キロパスカル以下とする。）
　二　窒素　400キロパスカル以下
　三　炭酸ガス　0.5キロパスカル以下

## 4. 酸素ばく露量の制限に関する法令

高圧則第16条　事業者は，酸素による高圧室内作業者の健康障害を防止するため，高圧室内作業者について，厚生労働大臣が定める方法により求めた酸素ばく露量が，厚生労働大臣が定める値を超えないように，作業室又は気こう室への送気その他の必要な措置を講じなければならない。

## 5. 潜降・浮上に関する法令

● 浮上の速度等

高圧則第18条　事業者は，潜水作業者に浮上を行わせるときは，次に定めるところによらなければならない。

一　浮上の速度は，毎分 10 メートル以下とすること。

二　厚生労働大臣が定める区間ごとに，厚生労働大臣が定めるところにより区分された人体の組織（以下この号において「半飽和組織」という。）の全てについて次のイに掲げる分圧がロに掲げる分圧を超えないように，浮上を停止させる水深の圧力及び当該圧力下において，浮上を停止させる時間を定め，当該時間以上浮上を停止させること。

イ　厚生労働大臣が定める方法により求めた当該半飽和組織内に存在する不活性ガスの分圧

ロ　厚生労働大臣が定める方法により求めた当該半飽和組織が許容することができる最大の不活性ガス分圧

2.　事業者は，浮上を終了した者に対して，当該浮上を終了した時から 14 時間は，重激な業務に従事させてはならない。

● 浮上の特例等

高圧則第32条　事業者は，事故のために潜水作業者を浮上させるときは，必要な限度において，第二十七条において読み替えて準用する第十八条第一項第一号に規定する浮上の速度を速め，又は同項第二号に規定する浮上を停止する時間を短縮することができる。

2　事業者は，前項の規定により浮上の速度を速め，又は浮上を停止する時間を短縮したときは，浮上後，すみやかに当該潜水作業者を再圧室に入れ，当該潜水業務の最高の水深における圧力に等しい圧力まで加圧し，又は当該潜水業務の最高の水深まで再び潜水させなければならない。

3　前項の規定により当該潜水作業者を再圧室に入れて加圧する場合の加圧の速度については，第十四条の規定を準用する。

● さがり綱

**高圧則第 33 条**　事業者は，潜水業務を行なうときは，潜水作業者が潜降し，及び浮上するためのさがり綱を備え，これを潜水作業者に使用させなければならない。

2　事業者は，前項のさがり綱には，三メートルごとに水深を表示する木札又は布等を取り付けておかなければならない。

\ここが/
**☞ ポイント！**

・浮上の速度は，毎分 10 メートル以下
・浮上を終了した時から 14 時間は，重激な業務に従事させてはならない
・緊急の場合に急浮上させた時は，当該潜水業務の最高の水深まで再び潜水させる
・さがり綱には，三メートルごとに水深を表示する木札又は布等を取り付けておく

**確認問題**

　潜水業務に係る潜降，浮上に関し，法令上，誤っているものは次のうちどれか。

(1)　潜水作業者の潜降速度は，毎分 10 m 以下と定められている。

(2)　潜水作業者の浮上速度は，事故のため緊急浮上させる場合を除き，毎分 10 m 以下と定められている。

(3)　水深は 10 m 未満の場所の潜水業務においても，潜水作業者にさがり綱を使用させなければならない。

(4)　緊急浮上後，潜水作業者を再圧室に入れて加圧するときは，毎分 0.08 MPa 以下の速度としなければならない。

(5)　潜水業務を行うときは，潜水作業者に純酸素を吸入させてはならない。

**解答と解説**

　潜降する時の速度は特に定めはありません。毎分 10 m 以下の速度は浮上時の速度です。

**解答**　(1)

第4編 関係法令

6 日目　関係法令　　91

## 6. 減圧状況の記録等に関する法令

第20条の2　事業者は，高圧室内業務を行う都度，第12条の2第2項各号に掲げる事項を記録した書類並びに当該高圧室内作業者の氏名及び減圧の日時を記載した書類を作成し，これらを5年間保存しなければならない。

第12条の2　事業者は，高圧室内業務を行うときは，高気圧障害を防止するため，あらかじめ，高圧室内作業に関する計画（以下この条において「作業計画」という。）を定め，かつ，当該作業計画により作業を行わなければならない。
作業計画は，次の事項が示されているものでなければならない。
⑴作業室又は気こう室へ送気する気体の成分組成
⑵加圧を開始する時から減圧を開始する時までの時間
⑶当該高圧室内業務における最高の圧力
⑷加圧及び減圧の速度
⑸減圧を停止する圧力及び当該圧力下において減圧を停止する時間
事業者は，作業計画を定めたときは，前項各号に掲げる事項について関係労働者に周知させなければならない。

## 7. 送気・吸気に関する法令

● 送気量及び送気圧
高圧則第28条　事業者は，空気圧縮機又は手押ポンプにより潜水作業者に送気するときは，潜水作業者ごとに，その水深の圧力下における送気量を，毎分60リットル以上としなければならない。
2　前項の規定にかかわらず，事業者は，潜水作業者に圧力調整器を使用させる場合には，潜水作業者ごとに，その水深の圧力下において毎分40リットル以上の送気を行うことができる空気圧縮機を使用し，かつ，送気圧をその水深の圧力に0.7メガパスカルを加えた値以上としなければならない。

● ボンベからの給気を受けて行なう潜水業務
高圧則第29条　事業者は，潜水作業者に携行させたボンベ（非常用のものを除く。以下第三十四条，第三十六条及び第三十七条において同じ。）からの給気を受けさせるときは，次の措置を講じなければならない。
一　潜降直前に，潜水作業者に対し，当該潜水業務に使用するボンベの現に有する給気能力を知らせること。

二　潜水作業者に異常がないかどうかを監視するための者を置くこと。

● 圧力調整器

高圧則第 30 条　事業者は，潜水作業者に圧力 1 メガパスカル以上の気体を充てんしたボンベからの給気を受けさせるときは，二段以上の減圧方式による圧力調整器を潜水作業者に使用させなければならない。

\ここが/
☞ ポイント！

・定量送気式（ヘルメット式など）では送気量 60 ℓ / 分以上必要
・応需送気式（全面マスク式など）では送気量 40 ℓ / 分以上，
　送気圧はその水深の圧力に 0.7 メガパスカルを加えた値以上必要
・自給気式は潜降直前にボンベの現に有する給気能力を知らせる
・圧力 1 メガパスカル以上のボンベからの給気を受けさせるときは，2
　段以上の減圧方式による圧力調整器を使用

確認問題

　次の文中の □□□ 内に入れる A 及び B の数字の組合せとして，法令上，正しいものは(1)～(5)のうちどれか。
　「潜水作業者に圧力調整器を使用させる場合には，潜水作業者ごとに，その水深の圧力下において毎分 □ A □ L 以上の送気を行うことができる空気圧縮機を使用し，かつ，送気圧をその水深の圧力に □ B □ MPa を加えた値以上としなければならない。」

|  | A | B |  | A | B |
|---|---|---|---|---|---|
| (1) | 70 | 0.7 | (2) | 60 | 0.8 |
| (3) | 60 | 0.6 | (4) | 40 | 0.7 |
| (5) | 40 | 0.8 |  |  |  |

解答と解説

　潜水作業者に圧力調整器を使用させる場合とは要するに，応需送気式なので，送気量 40 ℓ / 分以上，送気圧はその水深の圧力に 0.7 メガパスカルを加えた値以上必要です。

解答　(4)

## 8. 設備・器具点検に関する法令

高圧則第34条　事業者は，潜水業務を行うときは，潜水前に，次の各号に掲げる潜水業務に応じて，それぞれ当該各号に掲げる潜水器具を点検し，潜水作業者に危険又は健康障害の生ずるおそれがあると認めたときは，修理その他必要な措置を講じなければならない。

一　空気圧縮機又は手押ポンプにより送気して行う潜水業務
　　潜水器，送気管，信号索，さがり綱及び圧力調整器

二　ボンベ（潜水作業者に携行させたボンベを除く。）からの給気を受けて行う潜水業務　潜水器，送気管，信号索，さがり綱及び第三十条の圧力調整器

三　潜水作業者に携行させたボンベからの給気を受けて行う潜水業務
　　潜水器及び第三十条の圧力調整器

2　事業者は，潜水業務を行うときは，次の各号に掲げる潜水業務に応じて，それぞれ当該各号に掲げる設備について，当該各号に掲げる期間ごとに一回以上点検し，潜水作業者に危険又は健康障害の生ずるおそれがあると認めたときは，修理その他必要な措置を講じなければならない。

一　空気圧縮機又は手押ポンプにより送気して行う潜水業務
　　イ　空気圧縮機又は手押ポンプ　一週
　　ロ　第九条の空気を清浄にするための装置　一月
　　ハ　第三十七条の水深計　一月
　　ニ　第三十七条の水中時計　三月
　　ホ　第九条の流量計　六月

二　ボンベからの給気を受けて行う潜水業務
　　イ　第三十七条の水深計　一月
　　ロ　第三十七条の水中時計　三月
　　ハ　ボンベ　六月

3　事業者は，前二項の規定により点検を行ない，又は修理その他必要な措置を講じたときは，そのつど，その概要を記録して，これを三年間保存しなければならない。

**点検期間は頻出**

| 器具・設備 | 点検期間 |
|---|---|
| 空気圧縮機又は手押ポンプ | 一週 |
| 空気を清浄にするための装置・水深計 | 一か月 |
| 水中時計 | 三か月 |
| 流量計・ボンベ | 六か月 |

### 確認問題

　潜水業務において，法令上，特定の設備・器具については一定の期間ごとに1回以上点検しなければならないと定められているが，次の設備・器具と点検期間との組合せのうち，誤っているものはどれか。
(1)　送気する空気を清浄にするための装置……………………… 1か月
(2)　水中時計……………………………………………………… 3か月
(3)　水深計………………………………………………………… 3か月
(4)　送気量を計るための流量計………………………………… 6か月
(5)　ボンベ………………………………………………………… 6か月

### 解答と解説

水深計の点検期間は1か月である。

**解答**　(3)

## 9. 連絡員に関する法令

> 高圧則第36条　事業者は，空気圧縮機若しくは手押ポンプにより送気して行う潜水業務又はボンベ（潜水作業者に携行させたボンベを除く。）からの給気を受けて行う潜水業務を行うときは，潜水作業者と連絡するための者（次条において「連絡員」という。）を，潜水作業者二人以下ごとに一人置き，次の事項を行わせなければならない。
>
> 一　潜水作業者と連絡して，その者の潜降及び浮上を適正に行わせること。
>
> 二　潜水作業者への送気の調節を行うためのバルブ又はコックを操作する業務に従事する者と連絡して，潜水作業者に必要な量の空気を送気させること。
>
> 三　送気設備の故障その他の事故により，潜水作業者に危険又は健康障害の生ずるおそれがあるときは，速やかに潜水作業者に連絡すること。
>
> 四　ヘルメット式潜水器を用いて行う潜水業務にあっては，潜降直前に当該潜水作業者のヘルメットがかぶと台に結合されているかどうかを確認すること。

### ここが ポイント！

- 連絡員は潜水作業者2人以下ごとに1人配置
- 連絡員は送気員（バルブ又はコックを操作する業務に従事する者）と連絡を取り合う
- 連絡員は潜水作業者と連絡を取り合い，潜降および浮上を適正に行わせる
- 連絡員は事故などの緊急事態には速やかに潜水作業者に連絡する
- 連絡員は潜水作業者のヘルメット潜水器のヘルメット結合部の確認を潜水前に行う

送気式潜水業務における連絡員に関し，法令上，誤っているものは次のうちどれか。

(1) 事業者は，送気式の潜水業務を行うときは，潜水作業者2人以下ごとに1人の連絡員を配置しなければならない。
(2) 事業者は，潜水作業者への送気の調節を行うためのバルブ又はコックを操作する業務についての特別の教育を受けた者のうちから，連絡員を選ばなければならない。
(3) 連絡員は，潜水作業者と連絡をとり，その者の潜降及び浮上を適正に行わせる。
(4) 連絡員は，送気設備の故障その他の事故により，潜水作業者に危険又は健康障害の生ずるおそれがあるときは，速やかに潜水作業者に連絡する。
(5) 連絡員は，ヘルメット式潜水器を用いる潜水業務にあっては，潜降直前に，潜水作業者のヘルメットがかぶと台に結合されているかどうかを確認する。

**解答と解説**

送気の調整（バルブやコックの操作）を行うのは，特別の教育を受けた送気員の仕事です。

**解答** (2)

## 10. 潜水作業者携行物に関する法令

●潜水作業者の携行物等

高圧則第37条　事業者は，空気圧縮機若しくは手押ポンプにより送気して行う潜水業務又はボンベ（潜水作業者に携行させたボンベを除く。）からの給気を受けて行う潜水業務を行うときは，潜水作業者に，信号索，水中時計，水深計及び鋭利な刃物を携行させなければならない。ただし，潜水作業者と連絡員とが通話装置により通話することができることとしたときは，潜水作業者に信号索，水中時計及び水深計を携行させないことができる。

2　事業者は，潜水作業者に携行させたボンベからの給気を受けて行う潜水業務を行うときは，潜水作業者に，水中時計，水深計及び鋭利な刃物を携行させるほか，救命胴衣又は浮力調整具を着用させなければならない。

・送気式潜水での携行物
鋭利な刃物，信号索，水中時計，水深計
⇒水中通話装置がある際は，鋭利な刃物のみでOK

・スクーバー式潜水での携行物
鋭利な刃物，水中時計，水深計，救命胴衣又は浮力調整具を着用
⇒水中通話装置がある際でも上記すべて必須

潜水作業者の携行物に関する次の文中の □ 内に入れる A 及び B の語句の組合せとして，法令上，正しいものは(1)～(5)のうちどれか。

「空気圧縮機により送気して行う潜水業務を行うときは，潜水作業者に，信号索，│ A │，│ B │及び鋭利な刃物を携行させなければならない。ただし，潜水作業者と連絡員とが通話装置により通話することができることとしたときは，潜水作業者に信号索，│ A │及び│ B │を携行させないことができる。」

|     | A       | B       |
|-----|---------|---------|
| (1) | コンパス | 水深計   |
| (2) | コンパス | 浮力調整具 |
| (3) | 救命胴衣 | 浮力調整具 |
| (4) | 水中時計 | 水深計   |
| (5) | 水中時計 | 救命胴衣 |

**解答と解説**

送気式潜水での携行物は鋭利な刃物，信号索，水中時計，水深計ですが，水中通話装置がある際は，鋭利な刃物のみで構いません

解答　(4)

## 11. 健康診断に関する法令

● 健康診断

高圧則第38条　事業者は，高圧室内業務又は潜水業務（以下「高気圧業務」という。）に常時従事する労働者に対し，その雇入れの際，当該業務への配置替えの際及び当該業務についた後六月以内ごとに一回，定期に，次の項目について，医師による健康診断を行なわなければならない。
一　既往歴及び高気圧業務歴の調査
二　関節，腰若しくは下肢の痛み，耳鳴り等の自覚症状又は他覚症状の有無の検査
三　四肢の運動機能の検査
四　鼓膜及び聴力の検査
五　血圧の測定並びに尿中の糖及び蛋白の有無の検査

六　肺活量の測定
2　事業者は，前項の健康診断の結果，医師が必要と認めた者については，次の項目について，医師による健康診断を追加して行なわなければならない。
一　作業条件調査
二　肺換気機能検査
三　心電図検査
四　関節部のエックス線直接撮影による検査

● 健康診断の結果
高圧則第 39 条　事業者は，前条の健康診断（法第六十六条第五項ただし書の場合において当該労働者が受けた健康診断を含む。次条において「高気圧業務健康診断」という。）の結果に基づき，高気圧業務健康診断個人票（様式第一号）を作成し，これを五年間保存しなければならない。

● 健康診断の結果についての医師からの意見聴取
高圧則第 39 条の 2　高気圧業務健康診断の結果に基づく法第六十六条の四の規定による医師からの意見聴取は，次に定めるところにより行わなければならない。
一　高気圧業務健康診断が行われた日（法第六十六条第五項ただし書の場合にあつては，当該労働者が健康診断の結果を証明する書面を事業者に提出した日）から三月以内に行うこと。
二　聴取した医師の意見を高気圧業務健康診断個人票に記載すること。

● 健康診断の結果の通知
高圧則第 39 条の 3　事業者は，第三十八条の健康診断を受けた労働者に対し，遅滞なく，当該健康診断の結果を通知しなければならない。

● 健康診断結果報告
高圧則第 40 条　事業者は，第三十八条の健康診断（定期のものに限る。）を行なつたときは，遅滞なく，高気圧業務健康診断結果報告書（様式第二号）を当該事業場の所在地を管轄する労働基準監督署長に提出しなければならない。

- 雇い入れの際，配置換えの際及び 6 か月以内 ごとに健康診断を実施
- 水深 10 m 未満の潜水業務でも健康診断は 必要
- 高気圧業務健康診断個人票は 5 年間保管する
- 高気圧業務健康診断結果報告書は遅滞なく 所轄労働基準監督署長に報告

### 確認問題

潜水業務に常時従事する労働者に対して行う高気圧業務健康診断において，法令上，実施することが義務付けられていない項目は次のうちどれか。
(1) 既往歴及び高気圧業務歴の調査
(2) 四肢の運動機能の調査
(3) 血圧の測定並びに尿中の糖及び蛋白の有無の検査
(4) 視力の測定
(5) 肺活量の測定

### 解答と解説

視力の測定は義務付けられていません

解答 (4)

## 12. 再圧室に関する法令

● 加圧の速度

高圧則第 14 条　事業者は，気こう室において高圧室内作業者に加圧を行うときは，毎分 0.08 メガパスカル以下の速度で行わなければならない。

●設置

高圧則第42条 事業者は，高圧室内業務又は潜水業務を行うときは，高圧室内作業者又は潜水作業者について救急処置を行うため必要な再圧室を設置し，又は利用できるような措置を講じなければならない。

2 事業者は，再圧室を設置するときは，次の各号のいずれかに該当する場所を避けなければならない。

一 危険物（令別表第一に掲げる危険物をいう。以下同じ。），火薬類若しくは多量の易燃性の物を取り扱い，又は貯蔵する場所及びその付近

二 出水，なだれ又は土砂崩壊のおそれのある場所

●立入禁止

高圧則第43条 事業者は，必要のある者以外の者が再圧室を設置した場所及び当該再圧室を操作する場所に立ち入ることを禁止し，その旨を見やすい箇所に表示しておかなければならない。

●再圧室の使用

高圧則第44条 事業者は，再圧室を使用するときは，次に定めるところによらなければならない。

一 その日の使用を開始する前に，再圧室の送気設備，排気設備，通話装置及び警報装置の作動状況について点検し，異常を認めたときは，直ちに補修し，又は取り替えること。

二 加圧を行なうときは，純酸素を使用しないこと。

三 出入に必要な場合を除き，主室と副室との間の扉を閉じ，かつ，それぞれの内部の圧力を等しく保つこと。

四 再圧室の操作を行なう者に加圧及び減圧の状態その他異常の有無について常時監視させること。

2 事業者は，再圧室を使用したときは，その都度，加圧及び減圧の状況を記録した書類を作成し，これを五年間保存しなければならない。

● 点検

高圧則第45条　事業者は，再圧室については，設置時及びその後一月をこえない期間ごとに，次の事項について点検し，異常を認めたときは，直ちに補修し，又は取り替えなければならない。

一　送気設備及び排気設備の作動の状況

二　通話装置及び警報装置の作動の状況

三　電路の漏電の有無

四　電気機械器具及び配線の損傷その他異常の有無

2　事業者は，前項の規定により点検を行なつたときは，その結果を記録して，これを三年間保存しなければならない。

● 危険物等の持込み禁止

高圧則第46条　事業者は，再圧室の内部に危険物その他発火若しくは爆発のおそれのある物又は高温となって可燃物の点火源となるおそれのある物を持ち込むことを禁止し，その旨を再圧室の入口に掲示しておかなければならない。

\ここが/
☞ ポイント！

・加圧速度は 0.08 MPa 以下
・使用時は常時監視員が必要
・再圧室の内部に危険物の持ち込みを禁止し，その旨を入口に掲示しておく
・設置時及びその後一月をこえない期間ごとに点検
・主室と副室との間の扉を閉じ，かつ，それぞれの内部の圧力を等しく保つ
・再圧室を使用したときは，その都度，状況を記録し五年間保存する

再圧室に関する次のAからDまでの記述について，法令上，正しいものの組合せは(1)〜(5)のうちどれか。

A　水深10m以上の場所で潜水業務を行うときは，再圧室を設置し，又は利用できる措置を講じなければならない。

B　再圧室を使用するときは，再圧室の操作を行う者に，加圧及び減圧の状態その他異常の有無について常時監視させなければならない。

C　再圧室は，出入に必要な場合を除き，主室と副室との間の扉を閉じ，かつ，副室の圧力は主室の圧力よりも低く保たなければならない。

D　再圧室については，設置時及び設置後3か月を超えない期間ごとに一定の事項について点検しなければならない。

(1)　A，B
(2)　A，C
(3)　A，D
(4)　B，C
(5)　C，D

**解答と解説**

C　主室と副室との間の扉を閉じ，かつ，それぞれの内部の圧力を等しく保つ必要があります。

D　設置時及びその後一月を越えない期間ごとに点検します。

解答　(1)

## 13. 潜水士免許に関する法令

●潜水士
高圧則第12条　事業者は，潜水士免許を受けた者でなければ，潜水業務につかせてはならない。

●免許を受けることができる者
高圧則第52条　潜水士免許は，潜水士免許試験に合格した者に対し，都道府県労働局長が与えるものとする。

## ●免許交付の規定

**労働安全衛生法**第 72 条　第十二条第一項，第十四条又は第六十一条第一項の免許（以下「免許」という。）は，第七十五条第一項の免許試験に合格した者その他厚生労働省令で定める資格を有する者に対し，免許証を交付して行う。

2　次の各号のいずれかに該当する者には，免許を与えない。

一　第七十四条第二項（第三号を除く。）の規定により免許を取り消され，その取消しの日から起算して一年を経過しない者

二　前号に掲げる者のほか，免許の種類に応じて，厚生労働省令で定める者

3　第六十一条第一項の免許については，心身の障害により当該免許に係る業務を適正に行うことができない者として厚生労働省令で定めるものには，同項の免許を与えないことがある。

## ●免許取り消し規定

**労働安全衛生法**第 74 条　都道府県労働局長は，免許を受けた者が第七十二条第二項第二号に該当するに至つたときは，その免許を取り消さなければならない。

2　都道府県労働局長は，免許を受けた者が次の各号のいずれかに該当するに至つたときは，その免許を取り消し，又は期間（第一号，第二号，第四号又は第五号に該当する場合にあつては，六月を超えない範囲内の期間）を定めてその免許の効力を停止することができる。

一　故意又は重大な過失により，当該免許に係る業務について重大な事故を発生させたとき。

二　当該免許に係る業務について，この法律又はこれに基づく命令の規定に違反したとき。

三　当該免許が第六十一条第一項の免許である場合にあつては，第七十二条第三項に規定する厚生労働省令で定める者となつたとき。

四　第百十条第一項の条件に違反したとき。

五　前各号に掲げる場合のほか，免許の種類に応じて，厚生労働省令で定めるとき。

3　前項第三号に該当し，同項の規定により免許を取り消された者であつても，その者がその取消しの理由となつた事項に該当しなくなつたとき，その他その後の事情により再び免許を与えるのが適当であると認められるに至つたときは，再免許を与えることができる。

●免許の取消し等

労働安全衛生規則第66条　法第七十四条第二項第五号　の厚生労働省令で定める
ときは，次のとおりとする。

一　当該免許試験の受験についての不正その他の不正の行為があつたとき。

二　免許証を他人に譲渡し，又は貸与したとき。

三　免許を受けた者から当該免許の取消しの申請があつたとき。

●免許証の再交付又は書替え

労働安全衛生規則第67条　免許証の交付を受けた者で，当該免許に係る業務に
現に就いているもの又は就こうとするものは，これを滅失し，又は損傷した
ときは，免許証再交付申請書（様式第十二号）を免許証の交付を受けた都道
府県労働局長又はその者の住所を管轄する都道府県労働局長に提出し，免許
証の再交付を受けなければならない。

2　前項に規定する者は，氏名を変更したときは，免許証書替申請書（様式第
十二号）を免許証の交付を受けた都道府県労働局長又はその者の住所を管轄
する都道府県労働局長に提出し，免許証の書替えを受けなければならない。

＼ここが／
ポイント！

・満18歳に満たないものは免許を受けることができない

・免許書を譲渡・貸与した場合，重大な事故を発生させた場合は免許を
取り消されることがある

・氏名を変更したときは免許書の書き換えを受けなければならない。た
だし，住所変更の際は不要

潜水士免許に関し，法令上，誤っているものは次のうちどれか。
(1) 免許証を他人に譲渡したり貸与したときは，免許を取り消されることがある。
(2) 重大な過失により，潜水業務について重大な事故を発生させたときは，免許を取り消されることがある。
(3) 免許証の交付を受けた者で，潜水業務に現に就いているもの又は就こうとするものは，免許証を滅失し，又は損傷したときは，免許証の再交付を受けなければならない。
(4) 免許証の交付を受けた者で，潜水業務に現に就いているもの又は就こうとするものは，氏名を変更したときは，免許証の書替えを受けなければならない。
(5) 免許証再交付申請書又は免許証書替申請書は，所轄労働基準監督署長に提出しなければならない。

### 解答と解説

免許書の再交付は免許証の交付を受けた都道府県労働局長又はその者の住所を管轄する都道府県労働局長に提出

解答 (5)

## 14. 譲渡等に関する法令

● 譲渡等の制限等

労働安全衛生法第 42 条　特定機械等以外の機械等で，別表第二に掲げるものその他危険若しくは有害な作業を必要とするもの，危険な場所において使用するもの又は危険若しくは健康障害を防止するため使用するもののうち，政令で定めるものは，厚生労働大臣が定める規格又は安全装置を具備しなければ，譲渡し，貸与し，又は設置してはならない。

● 厚生労働大臣が定める規格又は安全装置を具備すべき機械等

労働安全衛生法施行令第 13 条　法別表第二第二号の政令で定める圧力容器は，第二種圧力容器（船舶安全法の適用を受ける船舶に用いられるもの及び電気事業法，高圧ガス保安法又はガス事業法の適用を受けるものを除く。）とする。
3　法第 42 条の政令で定める機械等は，次に掲げる機械等（本邦の地域内で使用されないことが明らかな場合を除く。）とする。
二十　再圧室
二十一　潜水器

厚生労働大臣が定める規格又は安全装置を具備しなければ，譲渡し，貸与し，又は設置してはならないものは以下の 2 つ
・再圧室と潜水器

### 確認問題

潜水業務に用いる次の設備等のうち，法令上，厚生労働大臣が定める構造規格を具備しなければ，譲渡し，貸与し，又は設置してはならないものはどれか。
(1)　空気圧縮機
(2)　圧力調整器
(3)　再圧室
(4)　空気清浄装置
(5)　流量計

### 解答と解説

厚生労働大臣が定める規格又は安全装置を具備しなければ，譲渡し，貸与し，又は設置してはならないものは再圧室と潜水器です。

解答　(3)

# 第5編（7日目）
## 模擬テスト

※ p.182，183 に解答用紙のひな形を用意して
おります。ご自由にお使い下さい

# 第1回 模擬テスト 問題

## （潜水業務） （解答一覧は p.126 に）

問題1　水深 30 m での 5 ℓ の空気は，大気圧下では約何 ℓ になるか。
(1)　10 ℓ
(2)　20 ℓ
(3)　30 ℓ
(4)　40 ℓ
(5)　50 ℓ

問題2　下図のように，一端を閉じた質量 100 g，断面積 20 cm² の円筒を，内部に少し空気が残るようにして逆さまにして水につけたところ，円筒中の水面が外部の水面より少し下がった状態で鉛直に静止した。この水面の差 $d$ は何 cm か。
　　　ただし，円筒の厚さと円筒内の空気の質量は無視できるものとする。

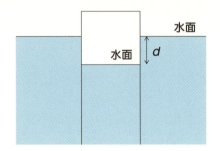

(1)　5 cm
(2)　10 cm
(3)　15 cm
(4)　20 cm
(5)　25 cm

問題3　気体の圧力と溶解に関し，次のうち誤っているものはどれか。

(1) 気体が液体に接しているとき，気体はヘンリーの法則に従って液体に溶解する。

(2) 気体がその圧力下で液体に溶けて溶解度に達した状態，すなわち限度いっぱいまで溶解した状態を飽和という。

(3) 水深 20 m の圧力下において一定量の液体に溶解する気体の質量は，水深 10 m の圧力下において溶解する質量の約 2 倍となる。

(4) 潜降するとき，呼吸する空気中の窒素分圧の上昇に伴って体内に溶解する窒素量も増加する。

(5) 浮上するとき，呼吸する空気中の窒素分圧の低下に伴って，体内に溶解していた窒素が体内で気泡化することがある。

**問題 4**　気体の液体への溶解に関する次の文中の　　　　　内に入れる A 及び B の語句の組合せとして，正しいものは(1)〜(5)のうちどれか。

　　　　ただし，その気体のその液体に対する溶解度は小さく，また，その気体はその液体と反応する気体ではないものとする。

「・温度が一定のとき，一定量の液体に溶解する気体の質量は，その気体の圧力に　A　。

・温度が一定のとき，一定量の液体に溶解する気体の体積は，その気体の圧力に　B　。」

| | A | B |
|---|---|---|
| (1) | かかわらず一定である | 比例する |
| (2) | 反比例する | 比例する |
| (3) | 反比例する | かかわらず一定である |
| (4) | 比例する | 反比例する |
| (5) | 比例する | かかわらず一定である |

**問題 5**　潜水の種類，方式に関し，次のうち誤っているものはどれか。

(1) フーカー式潜水は，送気式潜水であるが，安全性の向上のためにボンベを携行することがある。

(2) ヘルメット式潜水は，金属製のヘルメットとゴム製の潜水服により構成された潜水器を使用し，操作は比較的簡単で複雑な浮力調整が必要ない。

(3) 送気式潜水は，一般に船上のコンプレッサーによって送気を行う潜水で，比較的長時間の水中作業が可能である。

(4) スクーバ式潜水は，ボンベを用いる自給気式潜水で，少なくとも 3 MPa（ゲージ圧力）程度の空気を残して浮上を開始するようにする。

(5) 軽便マスク式潜水は，ヘルメット式潜水の簡易型として開発されたもので，空気は潜水作業者の顔面に装着したマスクに送気され，ヘルメット式潜水よりも空気消費量は少ない。

第 5 編　模擬テスト

第 1 回　模擬テスト　問題　　111

**問題6** 潜水の種類，方式に関し，次のうち誤っているものはどれか。
(1) ヘルメット式潜水器は，金属製のヘルメットとゴム製の潜水服により構成され，潜水器の構造が簡単であるが，その操作には熟練を要する。
(2) フーカー式潜水は，レギュレーターを介して送気する定量送気式の潜水である。
(3) 送気式潜水は，一般に船上のコンプレッサーによって送気し，比較的長時間の水中作業が可能である。
(4) 自給気式潜水で一般的に使用されている潜水器は，開放回路型スクーバ式潜水器である。
(5) 全面マスク式潜水は，応需送気式の潜水で，顔面全体を覆うマスクにデマンド式レギュレーターが取り付けられた潜水器を使用し，水中電話の使用が可能となっている。

**問題7** 潜水業務における潮流による危険性に関し，次のうち誤っているものはどれか。
(1) 潮流の速い水域での潜水作業は，減圧症が発生する危険性が高い。
(2) 潮流は，潮汐の干満がそれぞれ1日に通常2回ずつ起こることによって生じ，小潮で弱く，大潮で強くなる。
(3) 潮流は，開放的な海域では弱いものの，湾口や水道，海峡といった狭く，複雑な海岸線をもつ海域では強くなる。
(4) 上げ潮と下げ潮との間に生じる潮止まりを憩流といい，潮流の強い海域では，潜水作業はこの時間帯に行うようにする。
(5) 送気式潜水では，潮流による抵抗がなるべく小さくなるよう，下図のAに示すように送気ホースをたるませず，まっすぐに張るようにする。

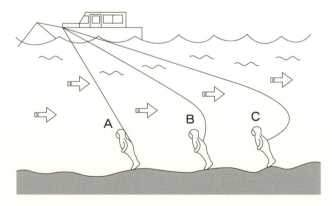

**問題 8　潜水墜落又は吹き上げに関し，次のうち誤っているものはどれか。**

(1)　潜水墜落は，潜水服内部の圧力と水圧の平衡が崩れ，内部の圧力が水圧より低くなったときに起こる。

(2)　ヘルメット式潜水における潜水墜落の原因の一つに潜水作業者への過剰な送気がある。

(3)　吹き上げは，潜水服内部の圧力と水圧の平衡が崩れ，内部の圧力が水圧より高くなったときに起こる。

(4)　吹き上げは，ヘルメット式潜水のほか，ドライスーツを使用する潜水においても起こる可能性がある。

(5)　吹き上げ時の対応を誤ると潜水墜落を起こすことがある。


**問題 9　水中拘束又は溺れに関し，次のうち正しいものはどれか。**

(1)　水中拘束によって水中滞在時間が延長した場合であっても，当初の減圧時間をきちんと守って浮上する。

(2)　送気ホースを使用しないスクーバ式潜水では，ロープなどに絡まる水中拘束の恐れはない。

(3)　送気式潜水では，水中拘束を予防するため，障害物を通過するときは，周囲を回ったり，下をくぐり抜けたりせずに，その上を越えていくようにする。

(4)　水が気管に入っただけでは呼吸が止まることはないが，気管支や肺に入ってしまうと窒息状態になって溺れることがある。

(5)　ヘルメット式潜水では，溺れを予防するため，救命胴衣又は BC を必ず使用する。


**問題 10　特殊な環境下における潜水に関し，次のうち誤っているものはどれか。**

(1)　暗渠内潜水は，非常に危険であるので，潜水作業者は豊富な潜水経験と高度な潜水技術，精神的な強さが必要とされる。

(2)　冷水中では，ウェットスーツよりドライスーツの方が体熱の損失が少ない。

(3)　河川での潜水では，流れの速さに特に注意する必要があり，命綱（ライフライン）を使用したり，装着するウエイト重量を増やす。

(4)　寒冷地での潜水では，送気ホースが凍結したり，呼吸器のデマンドバルブ部分が凍結することがあるので，水温のほか気温の低下にも注意する必要がある。

(5)　山岳部のダムなど高所域での潜水では，海面に比べて環境圧が低いので，通常の海洋での潜水よりも減圧浮上時間は短くできる。

## （送気，潜降及び浮上）

**問題11** フーカー式潜水方式の送気系統を示した下図においてAからCの設備の名称の組合せとして正しいものは(1)～(5)のうちどれか。

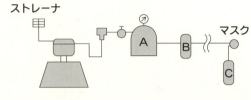

|     | A | B | C |
| --- | --- | --- | --- |
| (1) | 調節用空気槽 | 圧力調整器 | 予備ボンベ |
| (2) | 予備空気槽 | 逆上弁 | 空気清浄装置 |
| (3) | 調節用空気槽 | 空気清浄装置 | 予備ボンベ |
| (4) | 圧力調整器 | 調節用空気槽 | 空気清浄装置 |
| (5) | 圧力調整器 | 空気清浄装置 | 予備ボンベ |

**問題12** 送気式潜水に使用する設備・器具に関し，次のうち正しいものはどれか。

(1) 全面マスク式潜水では，通常，送気ホースは，呼び径が13 mmのものが使われている。
(2) コンプレッサーの圧縮効率は，圧力の上昇に伴って高くなる。
(3) 流量計には，特定の送気圧力による流量が目盛られており，その圧力以外で送気する場合は換算が必要である。
(4) フェルトを使用した空気清浄装置は，潜水作業者に送る圧縮空気に含まれる水分と油分のほか，二酸化炭素と一酸化炭素を除去する。
(5) 終業後，調節用空気槽は，内部に0.1 MPa（ゲージ圧力）程度の空気を残すようにしておく。

**問題 13　スクーバ式潜水における潜降の方法に関し，次のうち誤っているものはどれか。**

(1)　船の舷から水面までの高さが 1.5 m を超えるときは，船の甲板等から足を先にして水中に飛び込まない。

(2)　潜降の際は，口にくわえたレギュレーターのマウスピースに空気を吹き込み，セカンドステージの低圧室とマウスピース内の水を押し出してから，呼吸を開始する。

(3)　潜降時，耳に圧迫感を感じたときは，2～3 秒その水深に止まって耳抜きをする。

(4)　マスクの中に水が入ってきたときは，深く息を吸い込んでマスクの下端を顔に押し付け，鼻から強く息を吹き出してマスクの上端から水を排出する。

(5)　潜水中の遊泳は，一般に両腕を伸ばして体側につけて行うが，視界のきかないときは腕を前方に伸ばして遊泳する。

**問題 14　スクーバ式潜水における浮上の方法に関し，次のうち誤っているものはどれか。**

(1)　BC を装着したスクーバ式潜水で浮上する場合，インフレーターを肩より上に上げ，いつでも排気ボタンを押せる状態で周囲を確認しながら，浮上する。

(2)　水深が浅い場合は，救命胴衣によって速度を調節しながら浮上するようにする。

(3)　浮上開始の予定時間になったとき又は残圧計の針が警戒領域に入ったときは，浮上を開始する。

(4)　浮上速度の目安として，自分が排気した気泡を見ながら，その気泡を追い越さないような速度で浮上する。

(5)　バディブリージングは緊急時の手段であり，多くの危険が伴うので，万一の場合に備えて日頃から訓練を行い，完全に技術を習得しておかなければならない。

**問題15　ヘルメット式潜水器に関し，次のうち誤っているものはどれか。**

(1)　送気ホースからヘルメットに入る空気量の調節は，潜水作業者自身が腰バルブで行う。

(2)　ドレーンコックは，吹き上げのおそれがある場合など緊急の排気を行うときに使用する。

(3)　ヘルメット本体は，シコロのボルトを襟ゴムのボルト孔に達し，上から押え金を当て蝶ねじで締め付けて潜水服に固定する。

(4)　ベルトは，腰バルブの固定用としても使われ，送気ホースに対する外力が直接ヘルメットに加わることを防ぐ。

(5)　逆止弁は，ヘルメットの送気ホース取付口の部分に組み込まれ，送気された圧縮空気の逆流を防ぐ。

**問題16　スクーバ式潜水器に関し，次のうち誤っているものはどれか。**

(1)　空気専用のボンベは，表面積の1/2以上がねずみ色で塗色されている。

(2)　ボンベ内の空気残量を把握するため取り付ける残圧計には，ボンベの高圧空気が送られる。

(3)　圧力調整器は，高圧空気を1MPa（ゲージ圧力）前後に減圧する第1段減圧部と，更に潜水深度の圧力まで減圧する第2段減圧部から構成される。

(4)　ボンベは，終業後十分に水洗いを行い，錆の発生の有無やキズ，破損などがないかを確認し，内部に空気を残さないようにして保管する。

(5)　リザーブバルブ機構は，ボンベ内の圧力が所定の値にまで下がると，いったん空気の供給を止める機能を持つ。

**問題17　潜水業務に必要な器具に関し，次のうち誤っているものはどれか。**

(1)　水深計は，2本の指針のうち1本は現在の水深を，他の1本は潜水中の最大深度を表示するものを使用することが望ましい。

(2)　潜降索は，マニラ麻製又は同等の強度をもつもので1～2cm程度の太さのものとし，水深を示す目印として3mごとにマークを付ける。

(3)　フーカー式潜水で使用するウェットスーツは，ブーツと一体となっており，潜水靴を必要としない。

(4)　スクーバ式潜水でボンベを固定するハーネスは，バックパック，ナイロンベルト，ステンレスベルト，バックルで構成される。

(5)　ヘルメット式潜水で使用する鉛錘（ウエイト）の重さは，一組約30kgである。

**問題18** 潜水業務に必要な器具に関し，次のうち誤っているものはどれか。

(1) 水中時計は，現在時刻や潜水経過時間を表示するばかりでなく，潜水深度の時間的経過の記録が可能なものもある。

(2) 信号索は，潜水作業者と船上との連絡のほか，「いのち綱」の役目も果たすもので，マニラ麻製で太さ1〜2cmのものが使用される。

(3) 全面マスク式潜水で使用するドライスーツは，ブーツが一体となっている。

(4) スクーバ式潜水で使用する足ヒレ（フィン）には，ブーツをはめ込むフルフィットタイプと，ブーツの爪先だけを差し込み踵（かかと）をストラップで固定するオープンヒルタイプとがある。

(5) ヘルメット式潜水の場合，ヘルメット及び潜水服に重量があるので，潜水靴は，できるだけ軽量のものを使用する。

**問題19** 平均毎分20Lの呼吸を行う潜水作業者が，水深10mにおいて，内容積12L，空気圧力19MPa（ゲージ圧力）の空気ボンベを使用してスクーバ式潜水により潜水業務を行う場合の潜水可能時間に最も近いものは次のうちどれか。

　　ただし，空気ボンベの残圧が5MPa（ゲージ圧力）になったら浮上するものとする。

(1) 37分　　(2) 42分　　(3) 47分

(4) 52分　　(5) 57分

**問題20** スクーバ式潜水に用いられるボンベ，圧力調整器などに関し，次のうち誤っているものはどれか。

(1) ボンベには，クロムモリブデン鋼などの鋼合金で製造されたスチールボンベと，アルミ合金で製造されたアルミボンベがある。

(2) 残圧計には圧力調整器の第2段減圧部からボンベの高圧空気がホースを通して送られ，ボンベ内の圧力が表示される。

(3) ボンベには，内容積が4〜18Lのものがあり，一般に19.6MPa（ゲージ圧力）の空気が充塡されている。

(4) ボンベは，耐圧，衝撃，気密などの検査が行われ，最高充塡圧力など主なものが刻印されている。

(5) 圧力調整器は，始業前に，ボンベから送気した空気の漏れがないか，呼吸がスムーズに行えるか，などについて点検，確認する。

第5編 模擬テスト

第1回　模擬テスト　問題　117

## （高気圧障害）

### 問題1　肺の構造又は肺の障害に関し，次のうち誤っているものはどれか。

(1)　肺は，フイゴのように膨らんだり縮んだりして空気を出し入れしているが，肺自体には運動能力はない。

(2)　肺の臓側胸膜と壁側胸膜で囲まれた部分を胸膜腔という。

(3)　肺の胸膜腔は，通常，密閉状態になっている。

(4)　肺は，筋肉活動による胸郭の拡張に伴って膨らむ。

(5)　胸膜腔に気体が侵入し胸郭が拡がっても肺が拡がらない状態を空気閉塞という。

### 問題2　人体の神経系に関し，次のうち誤っているものはどれか。

(1)　神経系は，身体を環境に順応させたり動かしたりするために，身体の各部の動きや連携の統制を司る。

(2)　神経系は，中枢神経系と末梢神経系とに大別される。

(3)　中枢神経系は，脳と脊髄から成っている。

(4)　末梢神経系は，体性神経と自律神経から成っている。

(5)　自律神経は，感覚神経と運動神経から成っている。

### 問題3　人体の循環器系に関し，次のうち誤っているものはどれか。

(1)　細胞から二酸化炭素や老廃物を受けとった血液は，毛細血管から小静脈，静脈，大静脈を通って心臓に戻る。

(2)　心臓に戻った静脈血は，肺動脈を通って肺に送られ，そこでガス交換が行われる。

(3)　心臓は左右の心室と心房，すなわち四つの部屋に分かれており，血液は右心室から大動脈を通って体全体に送り出される。

(4)　心臓の左右の心房の間が卵円孔開存で通じていると，減圧症を引き起こすおそれがある。

(5)　大動脈の根元から出た冠状動脈は，心臓の表面を取り巻き，心筋に酸素と栄養素を供給する。

**問題4** 人体に及ぼす水温の作用及び体温に関し，次のうち誤っているものはどれか。

(1) 体温は，代謝によって生じる産熱と，人体と外部環境の温度差に基づく放熱のバランスによって保たれる。

(2) 一般に水温が20℃以下の水中では，保温のためのウェットスーツやドライスーツの着用が必要となる。

(3) 水中で体温が奪われやすい理由は，水の熱伝導率が空気の約26倍であり，また水の比熱は空気と比べてはるかに小さいからである。

(4) 低体温症に罹患した者にアルコールを摂取させると，皮膚の血管が拡張し体表面から熱損失を増加させるので絶対に避けなければならない。

(5) 水中で体温が低下すると，震え，意識の混濁や喪失などを起こし，死に至ることもある。

**問題5** 潜水による副鼻腔や耳の障害に関し，次のうち誤っているものはどれか。

(1) 潜降の途中で耳が痛くなるのは，外耳道と中耳腔との間に圧力差が生じるためである。

(2) 中耳腔は，管によって咽頭と通じているが，この管は通常は閉じている。

(3) 耳の障害の症状には，耳の痛みや閉塞感，難聴，耳鳴り，めまいなどがある。

(4) 前頭洞，上顎洞などの副鼻腔は，管によって鼻腔と通じているが，耳抜きによってこの管を開いて圧調整を行う。

(5) 副鼻腔の障害の症状には，額の周りや目・鼻の根部などの痛み，鼻出血などがある。

第5編　模擬テスト

第1回　模擬テスト　問題　119

**問題6　潜水によって生じる空気塞栓症に関し，次のうち誤っているものはどれか。**

(1)　空気塞栓症は，急浮上などによる肺の過膨張が原因となって発症する。

(2)　空気塞栓症は，肺胞の毛細血管から侵入した空気が，心臓を介して動脈系の抹消血管を閉塞することにより起こる。

(3)　空気塞栓症は，脳においてはほとんど認められず，ほぼすべてが心臓において発症する。

(4)　空気塞栓症は，一般には浮上してすぐに意識障害や痙攣発作等の重篤な症状を示す。

(5)　空気塞栓症を予防するには，浮上速度を守り，常に呼吸を続けながら浮上する。


**問題7　潜水業務における酸素中毒及び低酸素症に関し，次のうち誤っているものはどれか。**

(1)　酸素中毒は，酸素分圧の高いガスの吸入によって生じる症状で，呼吸ガス中に二酸化炭素が多いときには起こりにくい。

(2)　肺酸素中毒の症状は，軽度の胸部違和感，咳，痰などが主なもので，致命的になることは通常は考えられないが，肺活量が減少することがある。

(3)　脳酸素中毒の症状には，吐き気やめまい，耳鳴り，痙攣発作などがあり，特に痙攣発作が潜水中に起こると多くの場合致命的になる。

(4)　大深度潜水では，地上の空気より酸素濃度を低くした混合ガスを用いることがあるが，低酸素症は，このようなガスを誤って浅い深度で呼吸した場合に起こることがある。

(5)　低酸素症では，意識障害が初発症状であることが多いため，いったん発症してしまうと自力ではほとんど対処することができず，最悪の場合には溺れてしまうことになる。


**問題8　窒素酔いに関し，次のうち誤っているものはどれか。**

(1)　一般に，水深が 30 ～ 40 m 以上になると，酒に酔ったような状態の窒素酔いの症状が現れる。

(2)　窒素酔いは，窒素の麻酔作用が出現して生じる。

(3)　窒素酔いにかかると，気分が愉快になり，総じて楽観的あるいは自信過剰になるが，その症状には個人差もある。

(4)　飲酒，疲労，不安等は，気が紛れるので窒素酔いを起こしにくくする。

(5)　窒素酔いが誘因となって正しい判断ができず，重大な結果を招くことがある。

**問題 9** 潜水作業者の健康管理に関し，次のうち誤っているものはどれか。
(1) 潜水作業者に対する健康診断では，圧力の作用を大きく受ける耳や呼吸器などの検査のほか，必要な場合は，作業条件調査を行う。
(2) 胃炎は，潜水業務に就業することが禁止される疾病に該当しない。
(3) 肥満症は，潜水業務に就業することが禁止される疾病に該当しない。
(4) アルコール中毒は，潜水業務に就業することが禁止される疾病に該当する。
(5) 減圧症の再圧治療が終了した後しばらくは，体内にまだ余分な窒素が残っているので，そのまま再び潜水すると減圧症を再発するおそれがある。

**問題 10** 一次救命処置に関し，次のうち正しいものはどれか。
(1) 気道を確保するためには，仰向けにした傷病者のそばにしゃがみ，後頭部を軽く上げ，顎を下方に押さえる。
(2) 胸骨圧迫を行うときは，傷病者を柔らかいふとんの上に寝かせて行う。
(3) 胸骨圧迫と人工呼吸を行う場合は，胸骨圧迫10回に人工呼吸1回を繰り返す。
(4) 胸骨圧迫は，胸が少なくとも5cm沈む強さで胸骨の下半分を圧迫し，1分間に少なくとも100回のテンポで行う。
(5) AED（自動体外式除細動器）を用いて救命処置を行う場合には，胸骨圧迫や人工呼吸は，一切行う必要がない。

## （関係法令）

**問題 11** ヘルメット式潜水で空気圧縮機により送気する場合，潜水作業者ごとに備える予備空気槽の内容積Vを計算する次式の ☐ 内に入れるAからCの用語又は数値の組合せとして，法令上，正しいものは(1)〜(5)のうちどれか。
　ただし，容積の単位はℓ，潜水深度の単位はm，圧力の単位はMPaでゲージ圧力を示す。

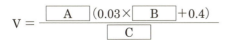

|     | A   | B              | C                |
| --- | --- | -------------- | ---------------- |
| (1) | 40  | 調節空気槽の容積 | 最高の潜水深度     |
| (2) | 60  | 最高の潜水深度   | 予備空気槽内の圧力 |
| (3) | 60  | 調節空気槽の容積 | 予備空気槽内の圧力 |
| (4) | 40  | 最高の潜水深度   | 予備空気槽内の圧力 |
| (5) | 60  | 調節空気槽の容積 | 最高の潜水深度     |

**問題 12** 次の A から E の業務について，法令上，その業務に労働者を就かせるときに特別の教育を行わなければならないものの組合せは(1)～(5)のうちどれか。

A 潜水作業者への送気の調節を行うためのバルブ又はコックを操作する業務

B 潜水器を点検する業務

C 再圧室を操作する業務

D 潜水作業者へ送気するための空気圧縮機を運転する業務

E 水深 10 m 未満の場所における潜水業務

(1) A，C

(2) A，E

(3) B，C

(4) B，D

(5) D，E

**問題 13** 携行させたボンベ（非常用のものを除く。）からの給気を受けて行う潜水業務に関し，法令上，誤っているものは次のうちどれか。

(1) 潜降直前に潜水作業者に対し，当該潜水業務に使用するボンベの現に有する給気能力を知らせなければならない。

(2) ゲージ圧力 0.5 MPa 以上の気体を充填したボンベから給気を受けさせるときは，潜水作業者に二段以上の減圧方式による圧力調整器を使用させなければならない。

(3) 潜水作業者に異常がないかどうかを監視するための者を置かなければならない。

(4) 潜水深度が 10 m 未満の潜水業務でも，潜水作業者にさがり綱を使用させなければならない。

(5) さがり綱には，浮上停止の深度を示す位置に木札又は布等を取り付けておかなければならない。

**問題 14** 全面マスク式潜水で空気圧縮機により送気する潜水業務を行うとき，法令上，潜水前の点検が義務付けられていない潜水器具は次のうちどれか。

(1) 潜水器

(2) 送気管

(3) 信号索

(4) 圧力調整器

(5) 救命胴衣

**問題 15** 送気式の潜水業務における連絡員に関し，法令上，誤っているものは次のうちどれか。

(1) 事業者は，潜水作業者と連絡を行う者として，潜水作業者2人以下ごとに1人の連絡員を配置しなければならない。

(2) 連絡員は，潜水作業者と連絡をとり，その者の潜降や浮上を適正に行わせる。

(3) 連絡員は，潜水作業者への送気の調節を行うためのバルブ又はコックの異常の有無を点検し，操作する。

(4) 連絡員は，送気設備の故障その他の事故により，潜水作業者に危険又は健康障害の生ずるおそれがあるときは，すみやかに潜水作業者に連絡する。

(5) 連絡員は，ヘルメット式潜水器を用いる潜水業務にあっては，潜降直前に，潜水作業者のヘルメットがかぶと台に結合されているかどうかを確認する。

**問題 16** 潜水作業者の携行物に関する次の文中の □□□□ 内に入れるA及びBの語句の組合せとして，法令上，正しいものは(1)～(5)のうちどれか。

「空気圧縮機により送気して行う潜水業務を行うときは，潜水作業者に，信号索，水中時計，水深計及び □ A □ を携行させなければならない。

ただし，潜水作業者と連絡員とが通話装置により通話することができることとしたときは，潜水作業者に水中時計， □ B □ を携行させないことができる。」

第5編 模擬テスト

第1回 模擬テスト 問題 123

|     | A | B |
|-----|---|---|
| (1) | コンパス | 水深計 |
| (2) | コンパス | コンパス |
| (3) | 浮上早見表 | 信号索及び浮上早見表 |
| (4) | 鋭利な刃物 | 信号索及び水深計 |
| (5) | 鋭利な刃物 | 鋭利な刃物及び水深計 |

**問題17** 潜水業務に常時従事する労働者に対して行う高気圧業務健康診断に関し，法令上，誤っているものは次のうちどれか。

(1) 健康診断の結果，異常の所見があると診断された労働者については，健康診断実施日から6月以内に医師からの意見聴取を行わなければならない。

(2) 健康診断は，雇入れの際，潜水業務へ配置替えの際及び潜水業務についた後6月以内ごとに1回，定期に行わなければならない。

(3) 送気式により，水深10m未満の場所で常時潜水作業を行う労働者についても，健康診断を行わなければならない。

(4) 健康診断を受けた労働者に対し，異常の所見を認められなかった者も含め，遅滞なく，当該健康診断の結果を通知しなければならない。

(5) 潜水業務に係る健康診断個人票は，5年間保存しなければならない。

**問題18** 再圧室に関し，法令上，誤っているものは次のうちどれか。

(1) 水深10m以上の場所における潜水業務を行うときは，再圧室を設置し，又は利用できるような措置を講じなければならない。

(2) 再圧室の設置場所には，必要のある者以外の者が立ち入ることを禁止し，その旨を見やすい箇所に表示しておかなければならない。

(3) 再圧室を使用するときは，出入に必要な場合を除き，主室と副室との間の扉を閉じ，かつ，副室の内部の圧力は主室より低く保たなければならない。

(4) 再圧室を使用したときは，そのつど，加圧及び減圧の状況を記録しておかなかければならない。

(5) 再圧室については，設置時及びその後1か月を超えない期間ごとに，電路の漏電の有無等所定の事項について点検しなければならない。

**問題 19** 潜水士免許に関し，法令上，誤っているものは次のうちどれか。

(1) 満 18 歳に満たない者は，潜水士免許を受け取ることができない。

(2) 免許を受けた者が重大な過失により，潜水業務において重大な事故を発生させたときは，都道府県労働局長はその免許を取り消し，又は期間を定めてその免許の効力を停止することができる。

(3) 免許証の交付を受けた者で，現に潜水業務に就いているものが氏名を変更したときは，免許証の交付を受けた都道府県労働局長又はその者の住所を管轄する都道府県労働局長に免許証書替申請書を提出し，免許証の書替えを受けなければならない。

(4) 免許を受けた者が免許証を他人に貸与したときは，都道府県労働局長はその免許を取り消し，又は期間を定めてその免許の効力を停止することができる。

(5) 免許を取り消された者は，取消しの日から 3 年間は免許を受けることができない。

**問題 20** 次の設備・器具のうち，法令上，厚生労働大臣が定める構造規格を具備しなければ，譲渡し，貸与し，又は設置してはならないものはどれか。

(1) 潜水業務に用いる空気清浄装置

(2) 潜水業務に用いる流量計

(3) 潜水業務に用いる送気管

(4) 潜水器

(5) 潜水服

第 1 回　模擬テスト　問題　125

# 第1回 模擬テスト 解答と解説

## 解答一覧

| 潜水業務 | | | | | | | | | |
|---|---|---|---|---|---|---|---|---|---|
| 1 | 2 | 3 | 4 | 5 | 6 | 7 | 8 | 9 | 10 |
| (2) | (1) | (3) | (5) | (2) | (2) | (5) | (2) | (3) | (5) |

| 送気，潜降及び浮上 | | | | | | | | | |
|---|---|---|---|---|---|---|---|---|---|
| 11 | 12 | 13 | 14 | 15 | 16 | 17 | 18 | 19 | 20 |
| (3) | (3) | (4) | (2) | (2) | (4) | (3) | (5) | (2) | (2) |

| 高気圧障害 | | | | | | | | | |
|---|---|---|---|---|---|---|---|---|---|
| 1 | 2 | 3 | 4 | 5 | 6 | 7 | 8 | 9 | 10 |
| (5) | (5) | (3) | (3) | (4) | (3) | (1) | (4) | (3) | (4) |

| 関係法令 | | | | | | | | | |
|---|---|---|---|---|---|---|---|---|---|
| 11 | 12 | 13 | 14 | 15 | 16 | 17 | 18 | 19 | 20 |
| (2) | (1) | (2) | (5) | (3) | (4) | (1) | (3) | (5) | (4) |

## （潜水業務）

問題1 　解答　(2)

ボイルの法則 $P1 \times V1 = P2 \times V2$ を利用する。

$P1 =$ 水深 30 m での圧力，$P2 =$ 大気圧下（水深 0 m）での圧力 1（気圧）
$V1 =$ 水深 30 m での体積 5（ℓ），$V2 =$ 大気圧下（水深 0 m）での体積
水深 $H$（m）と気圧 $P$ の関係は $P = 0.1\,H + 1$

上記式より $P1$（水深 30 m での圧力）は水深を代入して
$P1 = 0.1 \times 30$（m）$+ 1 = 4$（気圧）

$P1 \times V1 = P2 \times V2$ より

$$V2 = \frac{P1 \times V1}{P2} = \frac{4 \times 5}{1} = 20\,\ell$$

## 問題 2　解答　(1)

　円筒が静止しているということは質量 100 g と浮力がつり合っていることになる。浮力は，その物体がおしのけた液体の質量と等しいので，おしのけた水の質量も 100 g，水は 1 g/cm³ なのでおしのけた体積は 100 cm³ になる。円筒の断面積が 20 cm² なので，

$$20 \text{ cm}^2 \times d = 100 \text{ cm}^3$$
$$d = 5 \text{ cm となる}$$

## 問題 3　解答　(3)

　絶対圧力を計算して比較する必要がある。
水深 10 m 下では大気圧 1＋水圧 1 ＝ 2 気圧
水深 20 m 下では大気圧 1＋水圧 2 ＝ 3 気圧
　一定量の液体に溶解する気体の質量は圧力に比例するので，水深 20 m 下では 10 m の 1.5 倍溶解する。

## 問題 4　解答　(5)

　ヘンリーの法則についての記載（p.23）を参照のこと。

## 問題 5　解答　(2)

　ヘルメット式潜水は，金属製のヘルメットとゴム製の潜水服により構成された潜水器を使用し，複雑な浮力調整等が必要で，その**操作には熟練を要する**。

## 問題 6　解答　(2)

　フーカー式潜水は，**応需送気式**である。

## 問題 7　解答　(5)

　送気式潜水では，潮流による抵抗がなるべく小さくなるよう問題の B に示すように送気ホースを適度にたるませるようにする。

## 問題 8　解答　(2)

　ヘルメット式潜水における**吹き上げの原因**の一つに潜水作業者への過剰な送気がある。また，ヘルメット式潜水における潜水墜落の原因の一つに潜水作業者への送気不足がある。

第 1 回　模擬テスト　解答と解説　　127

## 問題9　解答　(3)

(1)　水中拘束によって水中滞在時間が延長した場合は**延長した時間を考慮した**減圧時間で浮上する。

(2)　送気ホースを使用しないスクーバ式潜水でも作業用のロープなどに絡まる水中拘束の恐れがある。

(4)　気道や肺に水が入って反射的に呼吸が止まって溺れることがある。

(5)　**スクーバ式潜水**では，溺れを予防するため，救命胴衣又は BC を必ず使用する。

## 問題10　解答　(5)

　山岳部のダムなど高所域での潜水では，海面に比べて環境圧が低いので，通常の海洋での潜水よりも**長い減圧浮上時間が必要**となる。

# （送気，潜降及び浮上）

## 問題11　解答　(3)

## 問題12　解答　(3)

(1)　13 mm はヘルメット式潜水，全面マスク式潜水は 8 mm である。

(2)　圧縮効率は圧力の上昇に伴って**低下する**。

(4)　フェルトは，$CO_2$ や CO を除去しない。

(5)　終了後，**空気槽の中の空気は排出する**。

## 問題13　解答　(4)

　マスクの中に水が入ってきたときは，深く息を吸い込んでマスクの上端を顔に押し付け，鼻から強く息を吹き出してマスクの**下端から**水を排出する。

## 問題14　解答　(2)

　救命胴衣は必ず水面に浮上してから使用する（**救命胴衣による浮上は浮上速度が調整できない**）。

## 問題15　解答　(2)

　ドレーンコックは，潜水者が唾などをヘルメット外に吐き出したいときなどに使用する。

**問題 16** 　解答 　(4)

　ボンベは、終業後十分に水洗いを行い、錆の発生の有無やキズ、破損などがないかを確認し、**水の浸入を防ぐため内部に 0.5 ～ 1 MPa の空気**を残しておくようにする。

**問題 17** 　解答 　(3)

　フーカー式潜水で使用する**ドライスーツ**は、ブーツと一体となっており、潜水靴を必要としない。

**問題 18** 　解答 　(5)

(5)　ヘルメット式潜水の場合、潜水靴は体の安定とバランス確保のため**重量**のあるものを使用する。

**問題 19** 　解答 　(2)

　水深 10 m で、絶対圧力は 2 気圧となる。大気圧下で 20 ℓ / 分の呼吸は水深 10 m では 40 ℓ / 分となる。5MPa 残すので、ボンベ内の空気は、

$$\frac{(19-5)\times 12}{0.1} = 1680\,\ell$$

よって、$1680\,\ell \div 40 = 42$

**問題 20** 　解答 　(2)

　残圧計には、ファーストステージ（**第 1 段減圧部**）から高圧ホースで高圧空気が送られる。

# （高気圧障害）

**問題 1** 　解答 　(5)

　胸膜腔に気体が侵入し胸郭が拡がっても肺が拡がらない状態を**気胸**という。

**問題 2** 　解答 　(5)

　体性神経は、感覚神経と運動神経から成っている。自律神経は交感神経と副交感神経から成っている。

**問題 3** 　解答 　(3)

　心臓は左右の心室と心房すなわち四つの部屋に分かれており、**血液は左心室**

から**大動脈を通って体全体に送り出される**。右心室からは肺動脈を通って肺へ送り出される。

**問題 4　解答**　(3)

　水中で体温が奪われやすい理由は，水の熱伝導率が空気の約 26 倍であり，また水の比熱は空気と比べて，**はるかに大きいから**である。

**問題 5　解答**　(4)

　前頭洞，上顎洞などの副鼻腔は管によって鼻腔と通じているが，耳抜きでは中耳と口腔を通じている耳管を開いて圧調整を行う。**副鼻腔の障害は耳抜きでは，改善出来ない。**

**問題 6　解答**　(3)

　空気塞栓症は，心臓においてはほとんど認められず，**ほぼすべてが脳において発症する。**

**問題 7　解答**　(1)

　酸素中毒は，酸素分圧の高いガスの吸入によって生じる症状で，呼吸ガス中に**二酸化炭素が多いときに起こりやすい。**

**問題 8　解答**　(4)

　飲酒，疲労，不安等は，窒素酔いを起こしやすくする。

**問題 9　解答**　(3)

　肥満症は禁止される疾病に該当する。

**問題 10　解答**　(4)

(1)　気道を確保するためには，仰向けにした傷病者のそばにしゃがみ，片手で額を押さえながら，もう一方の手の指で顎先を上に引き上げるようにする。

(2)　胸骨圧迫を行う場合には傷病者を**かたい板等の上**に寝かせて行う。

(3)　胸骨圧迫と人工呼吸を行う場合は**胸骨圧迫 30 回に人工呼吸 2 回**を繰り返す。

(5)　AED（自動体外式除細動器）を用いて救命処置を行う場合には，音声メッセージに従って胸骨圧迫を開始し心肺蘇生を続ける。

# （関係法令）

**問題11** **解答** (2)

**問題12** **解答** (1)

特別の教育は，潜水作業者への送気の調整を行うためのバルブ又はコックを操作する業務と再圧室を操作する業務。

**問題13** **解答** (2)

圧力1MPa以上の気体を充填したボンベから給気を受けさせるときは，潜水作業者に二段以上の減圧方式による圧力調整器を使用させなければならない。

**問題14** **解答** (5)

**問題15** **解答** (3)

連絡員は，送気調節のためのバルブ又はコックを操作する者と連絡して潜水作業者に必要な量の空気を送気させる。

**問題16** **解答** (4)

p.98●潜水作業者の携行物等参照

**問題17** **解答** (1)

(1) 健康診断の結果，異常の所見があると診断された労働者については，健康診断実施日から3月以内に医師からの意見聴取を行わなければならない。

(3) 水深に関係なく，常時潜水業務に従事する労働者について行う。

**問題18** **解答** (3)

(3) 再圧室を使用するときは，出入に必要な場合を除き，主室と副室との間の扉を閉じ，かつ，それぞれの内部の圧力を等しく保たなければならない。

**問題19** **解答** (5)

免許を取り消された者は取消しの日から1年間は免許を受けることができない。

**問題20** **解答** (4)

潜水業務に関するものは以下の2つ

・再圧室と潜水器

第1回　模擬テスト　解答と解説　131

# 第2回 模擬テスト 問題

## （潜水業務）　　　　　　　　　　　　　（解答一覧は p.150）

**問題1**　圧力に関し，次のうち誤っているものはどれか。
(1) 気体の温度が一定の場合，圧力Ｐと体積Ｖについて P×V ＝（一定）の関係が成り立つ。
(2) 水深 20 m での潜水時に受ける圧力は，大気圧と水圧の和であり，絶対圧力で約 0.3 MPa となる。
(3) 圧力は，単位面積当たりに作用する力である。
(4) 密閉容器内に満たされた静止流体中の任意の点に加えた圧力は，その圧力の方向にだけ伝達される。
(5) 気体は圧力が一定の場合，体積Ｖと絶対温度Ｔについて $\dfrac{V}{T} =$（一定）の関係が成り立つ。

**問題2**　体積 500 cm³ で質量が 350 g の木片が下図のように水面に浮いている。この木片の水面下にある部分の体積は何 cm³ か。

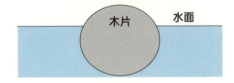

(1) 300 cm³
(2) 325 cm³
(3) 350 cm³
(4) 375 cm³
(5) 400 cm³

問題3 気体の性質に関し，次のうち正しいものはどれか。
(1) ヘリウムは，密度が極めて小さく，他の元素と化合しやすい気体で，呼吸抵抗は少ない。
(2) 窒素は，化学的に安定した不活性の気体であり，高圧下でも麻酔性などの問題は生じない。
(3) 二酸化炭素は，空気中に 0.3%～0.4%程度の割合で含まれている無色，無臭の気体で，人の呼吸の維持に微量は必要なものである。
(4) 酸素は，無色，無臭の気体で，生命維持に必要不可欠なものであり，空気中の酸素濃度が高ければ高いほど人体にはよい。
(5) 一酸化炭素は，無色，無臭の気体で，呼吸によって体内に入ると，血液中のヘモグロビンが酸素を運びにくくなるので有毒である。

問題4 光に関する次の文章の ☐ 内に入れる A から C の記号又は組合せとして，正しいものは(1)～(5)のうちどれか。
「空気と水の境界では下図の ☐A☐ のように光は屈折する。このため，顔マスクを通して水中の物体を見ると実際の位置よりも ☐B☐，また ☐C☐ 見える。」

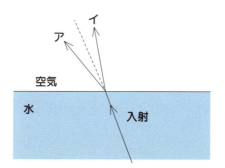

|     | A | B | C |
| --- | --- | --- | --- |
| (1) | ア | 遠く | 小さく |
| (2) | イ | 遠く | 大きく |
| (3) | ア | 近く | 大きく |
| (4) | イ | 近く | 大きく |
| (5) | ア | 近く | 小さく |

**問題5** 水中における光や音に関し，次のうち正しいものはどれか。
(1) 水中では，物が青のフィルターを通したときのように見えるが，これは青い色が水に最も吸収されやすいからである。
(2) 水中では，音に対する両耳効果が減少し，音源の方向探知が困難になる。
(3) 光は，水と空気の境界では下図のように屈折し，顔マスクを通して水中の物体を見た場合，実際よりも大きく見える。

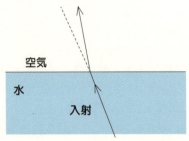

(4) 澄んだ水中で顔マスクを通して近距離にある物を見た場合，物体の位置は実際より遠くに見える。
(5) 水は，空気と比べ密度が大きいので，水中では音は長い距離を伝播することができない。

**問題6** 潜水業務の危険性に関し，次のうち誤っているものはどれか。
(1) コンクリートブロック，魚礁等を取り扱う水中作業においては，潜水作業者が動揺するブロック等に挟まれたり，送気ホースがブロックの下敷きになり，送気が途絶することがある。
(2) 水中での溶接・溶断作業では，ガス爆発の危険はないが，感電する危険がある。
(3) 漁獲物を身体に付けたままの状態でいると，サメの攻撃を受ける危険がある。
(4) 海中の生物による危険には，みずたこ，うつぼ等によるかみ傷，ふじつぼ等による切り傷のほか，いもがい類やがんがぜ等による刺し傷がある。
(5) 潜水作業中，海上衝突を予防するため，潜水作業船に下図に示す国際信号書A旗を掲揚する。

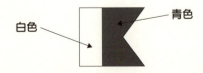

**問題7** 潜水業務の危険性に関し，次のうち正しいものはどれか。
(1) 潮流のある場所における水中作業で潜水作業者が潮流によって受ける抵抗は，スクーバ式潜水より全面マスク式潜水，全面マスク式潜水よりヘルメット式潜水の方が小さい。
(2) 水中での溶接・溶断作業では，ガス爆発の危険はないが，感電する危険がある。
(3) 視界の良いときより，海水が濁って視界が悪いときの方がサメやシャチのような海の生物による危険性の度合いが低い。
(4) 海中の生物による危険には，サンゴ，ふじつぼ等による切り傷，みずたこ，うつぼ等によるかみ傷のほか，いもがい類，がんがぜ等による刺し傷がある。
(5) 潜水作業中，海上衝突を予防するため，潜水作業船に下図に示す国際信号書A旗を掲揚する。

**問題8** 潜水墜落又は吹き上げに関し，次のうち誤っているものはどれか。
(1) 潜水墜落は，潜水服内部の圧力と水圧の平衡が崩れ，内部の圧力が水圧より低くなったときに起こる。
(2) ヘルメット式潜水において，潜水服のベルトの締め付けが不足すると浮力が減少し，潜水墜落の原因となる。
(3) 吹き上げは，潜水服内部の圧力と水圧の平衡が崩れ，内部の圧力が水圧より高くなったときに起こる。
(4) 吹き上げは，ヘルメット式潜水のほか，ドライスーツを使用する潜水においても起こる可能性がある。
(5) 吹き上げ時の対応を誤ると潜水墜落を起こすことがある。

**問題 9　水中拘束又は溺れの予防に関し，次のうち誤っているものはどれか。**

(1)　送気式潜水では，潜水作業船にクラッチ固定装置やスクリュー覆いを取り付ける。

(2)　送気式潜水では，障害物を通過するときは，周囲を回ったり，下をくぐり抜けたりせずに，その上を越えていくようにする。

(3)　沈船や洞窟などの狭いところに入る場合には，ガイドロープを使わないようにする。

(4)　スクーバ式潜水では，救命胴衣又は BC を着用する。

(5)　スクーバ式潜水では，潜水者 2 人 1 組で作業を行う。

**問題 10　特殊な環境下における潜水に関し，次のうち正しいものはどれか。**

(1)　暗渠内潜水は，機動性に優れているスクーバ式潜水により行われることが多い。

(2)　冷水中では，ドライスーツよりウェットスーツの方が体熱の損失が少ない。

(3)　河口付近の水域は，一般に視界が悪いが，降雨により視界は向上するので，降雨後は潜水に適している。

(4)　汚染のひどい水域では，フーカー式潜水が適している。

(5)　山岳部のダムなど高所域での潜水では，海面に比べて環境圧が低いので，通常の海洋での潜水よりも減圧浮上時間は短くできる。

## （送気，潜降及び浮上）

問題11 全面マスク式潜水の送気系統を示した下図において，AからCの設備の名称の組合せとして，正しいものは(1)～(5)のうちどれか。

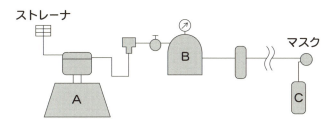

|     | A | B | C |
| --- | --- | --- | --- |
| (1) | 圧力調整装置 | 流量計 | 空気清浄装置 |
| (2) | 圧力調整装置 | 流量計 | 予備ボンベ |
| (3) | コンプレッサー | 流量計 | 空気清浄装置 |
| (4) | コンプレッサー | 調節用空気槽 | 空気清浄装置 |
| (5) | コンプレッサー | 調節用空気槽 | 予備ボンベ |

問題12 送気業務に必要な設備に関し，次のうち誤っているものはどれか。
(1) 流量計には，特定の送気圧力による流量が目盛られており，その圧力以外で送気する場合には換算が必要である。
(2) フェルトを使用した空気清浄装置は，潜水作業者に送る圧縮空気の水分と油分の他，二酸化炭素と一酸化炭素を除去する。
(3) 送気ホースは，始業前に継手部分にゆるみや空気漏れが発生していないか点検，確認する。
(4) 潜水前には，予備空気槽の圧力がその日の最高潜水深度の圧力の1.5倍以上となっていることを確認する。
(5) 流量計の点検は，本体のキズ・破損等の有無，目盛り板内の油の汚染の有無，作動状況について行う。

**問題 13** スクーバ式潜水における潜降の方法等に関し，次のうち誤っているものはどれか。

(1) 船の舷から水面までの高さが 1 〜 1.5 m 程度であれば，片手でマスクを押さえ，足を先にして水中に飛び込んでも支障はない。

(2) ドライスーツを装着して岸から海に入る場合には，少なくとも肩の高さまで歩いて行き，そこでスーツ内の余分な空気を排出する。

(3) BC を装着している場合，インフレーターを肩より上に上げて，排気ボタンを押して潜降を始める。

(4) 潜水中の遊泳は，両腕を伸ばして体側に付け，足を静かに上下にあおるようにして行う。

(5) マスクの中に水が入ってきたときは，深く息を吸い込んでマスクの下端を顔に押し付け，鼻から強く息を吹き出してマスクの上端から水を排出する。

**問題 14** スクーバ式潜水における浮上の方法に関し，次のうち誤っているものはどれか。

(1) BC を装着したスクーバ式潜水で浮上する場合，インフレーターを肩より上に上げ，いつでも排気ボタンを押せる状態で周囲を確認しながら，浮上する。

(2) 水深が浅い場合は，救命胴衣によって速度を調節しながら浮上するようにする。

(3) 浮上開始の予定時間になったとき，又は残圧計の針が警戒領域に入ったときは，浮上を開始する。

(4) 浮上速度の目安として，自分が排気した気泡を見ながら，その気泡を追い越さないような速度で浮上する。

(5) バディブリージングは緊急避難の手段であり，多くの危険が伴うので，万一の場合に備えて日頃から訓練を行い，完全に技術を習得しておかなければならない。

**問題15** ヘルメット式潜水器に関し，次のうち誤っているものはどれか。

(1) 排気弁は，潜水作業者自身が頭で押して操作する。

(2) ヘルメットの送気ホース取付部には，送気された空気が逆流することがないよう，逆止弁が設けられている。

(3) ドレーンコックは，送気中の水分や油分をヘルメットの外へ排出するときに使用する。

(4) ヘルメットは，頭部本体とシコロで構成され，シコロのボルトを襟ゴムのボルト孔に通し，上から押さえ金を当て蝶ねじで締め付けて潜水服に固定する。

(5) 潜水服内の空気が下半身に入り込まないようにするため，腰部をベルトで締め付ける。

**問題16** 全面マスク式潜水器及びフーカー式潜水器に関し，次のうち誤っているものはどれか。

(1) フーカー式潜水器は，面マスクにデマンド式レギュレーターが取り付けられた一体構造となっている。

(2) 全面マスク式潜水器では，水中電話機のマイクロホンは口鼻マスク部に取り付けられ，イヤホンは耳の後ろ付近にストラップを利用して固定される。

(3) 全面マスク式潜水器には，頭部を覆う専用のフードと一体になったものやヘルメット型のものがある。

(4) 全面マスク式潜水器のマスク内には，口と鼻を覆う口鼻マスクが取り付けられており，潜水作業者はこの口鼻マスクを介して給気を受ける。

(5) 全面マスク式潜水器及びフーカー式潜水器は送気式潜水器であるが，小型のボンベを携行して潜水することがある。

**問題17　潜水業務に使用する器具に関し，次のうち誤っているものはどれか。**

(1)　救命胴衣は，引金を引くと圧力調整器の第1段減圧部から高圧空気が出て，膨張するようになっている。

(2)　ドライスーツは，防水性能を高めるため，首部・手首部が伸縮性に富んだゴム材で作られ，また，ブーツが一体となっている。

(3)　スクーバ式潜水用ドライスーツには，ファーストステージレギュレーターから空気を入れることができる給気弁及びドライスーツ内の余剰空気を逃がす排気弁が取り付けられている。

(4)　足ヒレ（フィン）には，ブーツをはめ込むフルフィットタイプと，爪先だけを差し込み踵をストラップで固定するオープンヒルタイプとがある。

(5)　ヘルメット式潜水で使用する鉛錘（ウエイト）の重さは，一組約30 kgである。


**問題18　潜水業務に必要な器具に関し，次のうち誤っているものはどれか。**

(1)　水中時計は，現在時刻や潜水経過時間を表示するばかりでなく，潜水深度の時間的経過の記録が可能なものもある。

(2)　信号索は，潜水作業者と船上との連絡のほか，「いのち綱」の役目も果たすもので，マニラ麻製で太さ1〜2 cmのものが使用される。

(3)　全面マスク式潜水で使用するドライスーツは，ブーツが一体となっている。

(4)　軽便マスク式潜水で使用する潜水服は，基本的にはドライスーツ型の専用潜水服であるが，ウェットスーツ型を使用することもある。

(5)　ヘルメット式潜水の場合，ヘルメット及び潜水服に重量があるので，潜水靴は，できるだけ軽量のものを使用する。

問題 19　下の図はヘルメット式潜水器のヘルメットをスケッチしたものであるが、図中に ▬ 又は ⌒ で示すA～Eの部分に関する次の記述のうち、誤っているものはどれか。

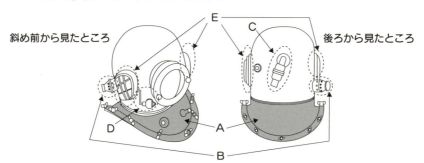

(1) Aの ▬ 部分はシコロで、シコロのボルトを襟ゴムのボルト孔に通し、上から押え金を当て蝶ねじで締め付けて潜水服に固定する。
(2) Bの ⌒ 部分は排気弁で、潜水作業者が自身の頭部を使ってこれを操作して余剰空気や呼気を排出する。
(3) Cの ⌒ 部分は送気ホース取付部で、送気された空気が逆流することがないよう、逆止弁が設けられている。
(4) Dの ⌒ 部分はドレーンコックで、潜水作業者が送気中の水分や油分をヘルメットの外へ排出するときに使用する。
(5) Eの ⌒ 部分は側面窓で、金属製格子等が取り付けられて窓ガラスを保護している。

問題 20　スクーバ式潜水に用いられるボンベ、圧力調整器等に関し、次のうち誤っているものはどれか。
(1) ボンベには、クロムモリブデン鋼などの鋼合金で製造されたスチールボンベと、アルミ合金で製造されたアルミボンベがある。
(2) 残圧計の内部には高圧がかかっているので、ゲージの針は顔を近づけないで斜めに見るようにする。
(3) ボンベは、一般に、内容積が 4～18 L で、最高充塡圧力が 19.6 MPa（ゲージ圧力）のものが使われている。
(4) ボンベに使用するバルブには、開閉機能だけのJバルブと、開閉機能とリザーブバルブ機構が一体となったKバルブがある。
(5) ボンベへの圧力調整器の取付けは、第1段減圧部のヨークをボンベのバルブ上部にはめ込んで、ヨークスクリューで固定する。

## （高気圧障害）

**問題1　肺及び肺換気機能に関し，次のうち誤っているものはどれか。**

(1)　肺は，フイゴのように膨らんだり縮んだりして空気を出し入れしているが，肺自体には運動能力はない。

(2)　肺の表面と胸郭内面は，胸膜で覆われており，両者で囲まれた空間を胸膜腔という。

(3)　肺呼吸は，肺内に吸い込んだ空気中の酸素を取り入れ，血液中の二酸化炭素を排出するガス交換である。

(4)　ガス交換は，肺胞及び呼吸細気管支で行われるが，そこから口・鼻側ではガス交換は行われない。

(5)　潜水作業者の呼吸流量は水深により変化しないが，摂取する酸素の質量は水圧に比例して増えるので，スクーバ式潜水の場合，水深が深いと空気ボンベの残圧は早く減少する。

**問題2　人体の循環器系に関し，次のうち誤っているものはどれか。**

(1)　末梢組織から二酸化炭素や老廃物を受けとった血液は，毛細血管から静脈，大静脈を通って心臓に戻る。

(2)　心臓は左右の心室と心房，すなわち四つの部屋に分かれており，血液は左心室から体全体に送り出される。

(3)　心臓の右心房に戻った静脈血は右心室から肺静脈を通って肺に送られそこでガス交換が行われる。

(4)　心臓は左右の心房の間が卵円孔開存で通じていると，減圧症を引き起こすおそれがある。

(5)　大動脈の根元から出た冠状動脈は，心臓の表面を取り巻き，心筋に酸素と栄養素を供給する。

**問題3　人体の神経系に関し，次のうち誤っているものはどれか。**

(1)　神経系は，身体を環境に順応させたり動かしたりするために，身体の各部の動きや連携の統制をつかさどる。

(2)　神経系は，中枢神経系と末梢神経系とに大別される。

(3)　中枢神経系は，脳と脊髄から成っている。

(4)　末梢神経系は，体性神経と自律神経から成っている。

(5)　体性神経は，交感神経と副交感神経から成っている。

142

**問題4** 肺の圧外傷に関する次の文中の 内に入れる A から C の語句の組合せとして，正しいものは(1)～(5)のうちどれか。

「潜水器を使用した潜水における A 時の肺の圧外傷は， B と C を引き起こすことがある。 B は，胸膜腔(くう)に空気が侵入し胸部が拡がっても肺が膨らまなくなる状態をいい， C は，肺胞の毛細血管から侵入した空気が，動脈系の末梢(しょう)血管を閉塞(そく)することにより起こる。」

|  | A | B | C |
|---|---|---|---|
| (1) | 浮上 | 気胸 | 空気塞栓症 |
| (2) | 潜降 | 気胸 | 空気塞栓症 |
| (3) | 浮上 | 空気塞栓症 | 気胸 |
| (4) | 潜降 | 空気塞栓症 | 気胸 |
| (5) | 浮上 | 死腔 | 空気塞栓症 |

**問題5** 潜水によって生じる圧外傷に関し，次のうち誤っているものはどれか。

(1) 圧外傷は，水圧による疾患の代表的なものであり，水圧が身体に不均等に作用することで生じる。

(2) 圧外傷は，潜降，浮上いずれのときでも生じ，潜降時のものをスクィーズ，浮上時のものをブロックと呼ぶことがある。

(3) 潜降時の圧外傷は，潜降による圧力変化のために体腔の容積が増えることで生じ，中耳腔や副鼻腔又は面マスクの内部や潜水服と皮膚の間などで生じる。

(4) 深さ 1.8 m のような浅い場所での潜水でも圧外傷が生じることがある。

(5) 虫歯になって内部に密閉された空洞ができた場合，その部分で圧外傷が生じることがある。

**問題6　潜水業務における酸素中毒に関し，次のうち誤っているものはどれか。**

(1)　酸素中毒は，中枢神経が冒される脳酸素中毒と肺が冒される肺酸素中毒に大きく分けられる。

(2)　脳酸素中毒の症状には，吐き気やめまい，耳鳴り，筋肉のふるえなどがあり，特に痙攣発作が潜水中に起こると致命的になる。

(3)　肺酸素中毒の症状は，軽度の胸部違和感，咳，痰などが主なもので，致命的になることは通常は考えられないが，肺活量が減少することがある。

(4)　脳酸素中毒は，0.5気圧程度の酸素分圧の呼吸ガスを長時間呼吸したときに生じ，肺酸素中毒は1.4〜1.6気圧程度の分圧の酸素に比較的短時間ばく露されたときに生じる。

(5)　炭酸ガス中毒を来すと，酸素中毒に罹患しやすくなるとされている。


**問題7　潜水業務における二酸化炭素中毒又は酸素中毒に関し，次のうち正しいものはどれか。**

(1)　二酸化炭素中毒は，二酸化炭素が血液中の赤血球に含まれるヘモグロビンと強く結合し，酸素の運搬ができなくなるために起こる。

(2)　スクーバ式潜水では，開放回路型潜水器を用いるため，二酸化炭素中毒は生じないが，ヘルメット式潜水では，ヘルメット内に吐き出した呼気により二酸化炭素濃度が高くなって中毒を起こす。

(3)　酸素中毒は，酸素分圧の高いガスの吸入によって生じる症状で，呼吸ガス中に二酸化炭素が多いときには起こりにくい。

(4)　脳酸素中毒は，0.5気圧程度の酸素分圧の呼吸ガスを長時間呼吸したときに生じ，肺酸素中毒は，1.4〜1.6気圧程度の酸素分圧の呼吸ガスを短時間呼吸したときに生じる。

(5)　脳酸素中毒の症状には，吐き気，めまい，筋肉の震えなどがあり，とくに痙攣発作が潜水中に起こると多くの場合致命的になる。


**問題8　潜水によって生じる骨壊死についての次の文中の　　　　内に入れるAからCまでの語句の組合せとして，正しいものは(1)〜(5)のうちどれか。**

　「　A　に罹患した潜水作業者には，骨壊死が多くみられ，症状は発症の部位によって異なる。大腿骨などの長骨の幹の部分を骨幹部，その両端を骨端（骨頭）と呼び，大腿骨の　B　に発症した場合には歩行障害等を訴えることが多いが，　C　に発症した場合には大きな障害はみられない。」

|       | A           | B           | C           |
|-------|-------------|-------------|-------------|
| (1)   | 酸素中毒    | 骨幹部      | 骨端（骨頭）|
| (2)   | 酸素中毒    | 骨端（骨頭）| 骨幹部      |
| (3)   | 減圧症      | 骨幹部      | 骨端（骨頭）|
| (4)   | 低体温症    | 骨端（骨頭）| 骨幹部      |
| (5)   | 減圧症      | 骨端（骨頭）| 骨幹部      |

### 問題9　潜水作業者の健康管理に関し，次のうち誤っているものはどれか。

(1)　潜水作業者に対する健康診断では，四肢の運動機能検査，圧力の作用を大きく受ける耳や呼吸器などの検査のほか，必要な場合は，作業条件調査を行う。

(2)　肺結核にかかっている者は，潜水業務に就業することを禁止する必要がある。

(3)　メニエル氏病にかかっている者は，潜水業務に就業することを禁止する必要はない。

(4)　中耳炎にかかっている者は，潜水業務に就業することを禁止する必要がある。

(5)　減圧症の再圧治療が終了した後しばらくは，体内にまだ余分な窒素が残っているので，そのまま再び潜水すると減圧症を再発するおそれがある。

### 問題10　一次救命処置に関し，次のうち正しいものはどれか。

(1)　気道を確保するためには，仰向けにした傷病者のそばにしゃがみ，後頭部を軽く上げ，顎を下方に押さえる。

(2)　呼吸を確認して普段どおりの息（正常な呼吸）がない場合や約10秒間観察しても判断できない場合は，心肺停止とみなし，心肺蘇生を開始する。

(3)　胸骨圧迫と人工呼吸を行う場合は，胸骨圧迫10回に人工呼吸1回を繰り返す。

(4)　胸骨圧迫は，胸が少なくとも5cm沈む強さで胸骨の下半分を圧迫し，1分間に約60回のテンポで行う。

(5)　AED（自動体外式除細動器）を用いて救命処置を行う場合には，人工呼吸や胸骨圧迫は，一切行う必要がない。

## （関係法令）

問題11　ヘルメット式潜水による潜水作業者に空気圧縮機を用いて送気し，最高深度40mまで潜水させる場合に，最小限必要な予備空気槽の内容積V（L）は，法令上，次のうちどれか。

　　　ただし，イ又はロのうち適切な式を用いて算定すること。

　　　なお，Dは最高の潜水深度（m）であり，Pは予備空気槽の空気圧力で0.8MPa（ゲージ圧力）とする。

$$イ \quad V = \frac{40\,(0.03D + 0.4)}{P}$$

$$ロ \quad V = \frac{60\,(0.03D + 0.4)}{P}$$

(1)　92 L

(2)　112 L

(3)　120 L

(4)　156 L

(5)　189 L

問題12　潜水業務に伴う業務に係る特別の教育に関し，法令上，誤っているものは次のうちどれか。

(1)　潜水作業者への送気の調節を行うためのバルブ又はコックを操作する業務に就かせるときは，特別の教育を行わなければならない。

(2)　再圧室を操作する業務に就かせるときは，特別の教育を行わなければならない。

(3)　空気圧縮機及び空気槽の点検の業務に就かせるときは，特別の教育を行わなければならない。

(4)　特別の教育を行ったときは，その記録を3年間保存しなければならない。

(5)　特別の教育の科目の全部又は一部について十分な知識及び技能を有していると認められる労働者については，その科目についての教育を省略することができる。

**問題 13**　潜水作業者に圧力調整器を使用しない方法で潜水させる場合，大気圧下で送気量が毎分 240 L の空気圧縮機を用いて送気するとき，法令上，潜水できる最高の水深は，次のうちどれか。

(1)　20 m

(2)　25 m

(3)　30 m

(4)　35 m

(5)　40 m

**問題 14**　潜水業務において，法令上，特定の設備・器具については一定の期間ごとに 1 回以上点検しなければならないと定められているが，次の設備・器具と点検期間との組合せのうち，誤っているものはどれか。

(1)　送気する空気を清浄にするための装置…… 1 か月

(2)　水中時計………………………………… 3 か月

(3)　水深計…………………………………… 3 か月

(4)　送気量を計るための流量計……………… 6 か月

(5)　ボンベ…………………………………… 6 か月

**問題 15**　送気式潜水業務における連絡員に関し，法令上，誤っているものは次のうちどれか。

(1)　事業者は，潜水作業者 2 人以下ごとに 1 人の連絡員を配置しなければならない。

(2)　連絡員は，潜水作業者と連絡をとり，その者の潜降や浮上を適正に行わせる。

(3)　連絡員は，潜水作業者への送気の調節を行うためのバルブ及びコックの異常の有無を点検し，操作する。

(4)　連絡員は，送気設備の故障その他の事故により，潜水作業者に危険又は健康障害の生ずるおそれがあるときは，速やかに潜水作業者に連絡する。

(5)　連絡員は，ヘルメット式潜水器を用いる潜水業務にあっては，潜降直前に潜水作業者のヘルメットがかぶと台に結合されているかどうかを確認する。

**問題 16** 潜水作業者の携行物に関する次の文中の 内に入れる A 及び B の語句の組合せとして，法令上，正しいものは(1)～(5)のうちどれか。

「空気圧縮機により送気して行う潜水業務を行うときは，潜水作業者に，信号索，水中時計，水深計及び A を携行させなければならない。

ただし，潜水作業者と連絡員とが通話装置により通話することができることとしたときは，潜水作業者に水中時計， B を携行させないことができる。」

| | A | B |
|---|---|---|
| (1) | コンパス | 水深計 |
| (2) | コンパス | コンパス |
| (3) | 浮上早見表 | 信号索及び浮上早見表 |
| (4) | 鋭利な刃物 | 信号索及び水深計 |
| (5) | 鋭利な刃物 | 鋭利な刃物及び水深計 |

**問題 17** 潜水業務に常時従事する労働者に対して行う高気圧業務健康診断において，法令上，実施することが義務付けられていない項目は次のうちどれか。

(1) 四肢の運動機能の検査

(2) 鼓膜及び聴力の検査

(3) 肺活量の測定

(4) 血中尿素窒素に関する検査

(5) 尿中の糖及び蛋白の有無の検査

148

問題18 再圧室に関する次のAからDまでの記述について，法令上，正しいものの組合せは(1)〜(5)のうちどれか。

A 再圧室の内部に高温となって可燃物の点火源となるおそれのある物等を持ち込むことを禁止し，その旨を再圧室の入口に掲示しておかなければならない。

B 再圧室については，設置時及びその後3か月を超えない期間ごとに，送気設備及び排気設備の作動の状況など，一定の事項について点検しなければならない。

C 再圧室は，出入に必要な場合を除き，主室と副室との間の扉を閉じ，かつ，それぞれの内部の圧力を等しく保たなければならない。

D 再圧室を使用したときは，1週を超えない期間ごとに，使用した日時並びに加圧及び減圧の状況を記録しなければならない。

(1) A，B  (2) A，C  (3) A，D
(4) B，C  (5) C，D

問題19 潜水士免許に関し，法令上，誤っているものは次のうちどれか。

(1) 免許証を他人に譲渡したり貸与したときは，免許を取り消されることがある。

(2) 重大な過失により，潜水業務について重大な事故を発生させたときは，免許を取り消されることがある。

(3) 潜水業務に現に就いている者又は就こうとする者が，免許証を滅失し又は損傷したときは，免許証の再交付を受けなければならない。

(4) 潜水業務に現に就いている者又は就こうとする者が，住所を変更したときは，免許証の書替えを受けなければならない。

(5) 免許証の再交付申請書又は書替申請書は，その免許証の交付を受けた都道府県労働局長又は本人の住所を管轄する都道府県労働局長に提出しなければならない。

問題20 次の設備・器具のうち，厚生労働大臣が定める構造規格を具備しなければ，譲渡し，貸与し，又は設置してはならないものはどれか。

(1) 潜水業務用空気圧縮機  (2) 潜水業務用送気管
(3) 潜水業務用ボンベの圧力調整器  (4) 潜水器
(5) 水深計

第2回 模擬テスト 問題 149

# 第2回 模擬テスト 解答と解説

## 解答一覧

### 潜水業務

| 1 | 2 | 3 | 4 | 5 | 6 | 7 | 8 | 9 | 10 |
|---|---|---|---|---|---|---|---|---|----|
| (4) | (3) | (5) | (3) | (2) | (2) | (4) | (2) | (3) | (1) |

### 送気，潜降及び浮上

| 11 | 12 | 13 | 14 | 15 | 16 | 17 | 18 | 19 | 20 |
|----|----|----|----|----|----|----|----|----|----|
| (5) | (2) | (5) | (2) | (3) | (1) | (1) | (5) | (4) | (4) |

### 高気圧障害

| 1 | 2 | 3 | 4 | 5 | 6 | 7 | 8 | 9 | 10 |
|---|---|---|---|---|---|---|---|---|----|
| (5) | (3) | (5) | (1) | (3) | (4) | (5) | (5) | (3) | (2) |

### 関係法令

| 11 | 12 | 13 | 14 | 15 | 16 | 17 | 18 | 19 | 20 |
|----|----|----|----|----|----|----|----|----|----|
| (3) | (3) | (3) | (3) | (3) | (4) | (4) | (2) | (4) | (4) |

## （潜水業務）

**問題 1　解答　(4)**

液体に加えられた圧力は**すべての方向に等しく伝わる**。

**問題 2　解答　(3)**

アルキメデスの原理より，物体の水面下の体積は，物体の質量（350 g）と同じ水の質量とバランスする。

**問題 3　解答　(5)**

(1)　ヘリウムは，密度が極めて小さく，他の元素と化合し**難い**気体で，呼吸抵抗は少ない。

(2)　窒素は，化学的に安定した不活性の気体であり，高圧下では，**麻酔性の問題がある**。

(3)　二酸化炭素は，空気中に **0.03% ～ 0.04%** 程度の割合で含まれている無色，無臭の気体で，人の呼吸の維持に微量必要なものである。

(4)　酸素は，無色，無臭の気体で，生命維持に必要不可欠なものであり，空気中の酸素濃度が**高いと酸素中毒を起こす。高濃度は有害**。

**問題 4　解答　(3)**

**問題 5　解答　(2)**

(1)　水中では，物が青のフィルターを通したときのように見えるが，これは青い色が水に最も吸収され難いからである。

(3)　光は，水と空気の境界では問題 4 図のアのように屈折し，顔マスクを通して水中の物体を見た場合，実際よりも大きく見える。

(4)　澄んだ水中で顔マスクを通して近距離にある物を見た場合，物体の位置は実際より近く見える。

(5)　水は空気に比べ密度が大きいので，水中では音は長い距離を伝播する。

**問題 6　解答　(2)**

水中でのガス溶断作業では，**ガス爆発**や，感電により苦痛を伴うショックを受けることがある。

問題7　解答　(4)

(1)　潮流のある場所における水中作業で潜水作業者が潮流によって受ける抵抗は，スクーバ式潜水より全面マスク式潜水，全面マスク式潜水より**ヘルメット式潜水の方が大きい。**

(2)　水中での溶接・溶断作業では，作業時に発生したガスが滞留し，ガス爆発を起こす危険も感電する危険もある。

(3)　視界の良いときより，海水が濁って視界の悪いときの方がサメやシャチのような海の生物による危険性の度合いが**高い。**

(5)　潜水作業中，海上衝突を予防するため，潜水作業船に白と青で示す国際信号書 A 旗を掲揚する。

問題8　解答　(2)

　ヘルメット式潜水において，潜水服のベルトの締め付けが不足すると空気が下半身に入り込み浮力が増加し，**吹き上げの原因**となる。

問題9　解答　(3)

　沈船や洞窟などの狭い場所では帰路を失う可能性があるので**必ずガイドロープを使用する。**

問題10　解答　(1)

(2)　**冷水中**では，ウェットスーツより**ドライスーツの方が体熱の損失が少ない。**

(3)　河口付近の水域は，一般に視界が悪いが，降雨により視界はさらに低下するので**降雨後は潜水に適していない。**

(4)　汚染のひどい水域ではスクーバ式潜水やフーカ式潜水は露出部が多く不適当であり，露出部を極力少なくした装備で，**送気式潜水器を用いて潜水する**ことが望ましい。

(5)　山岳部のダムなど高所域での潜水では，海面に比べて環境圧が低いので，通常の海洋での潜水よりも**長い減圧浮上時間**が必要となる。

# （送気，潜降及び浮上）

問題11　解答　(5)

152

**問題 12　解答　(2)**

　フェルトを使用した空気清浄装置は，二酸化炭素や一酸化炭素は除去出来ない。

**問題 13　解答　(5)**

　マスクの中に水が入ってきたときは，深く息を吸い込んでマスクの<u>上端</u>を顔に押し付け，鼻から強く息を吹き出してマスクの<u>下端</u>から水を排出する。

**問題 14　解答　(2)**

　救命胴衣によって浮上を行うと，浮上速度が調節できないので自力で浮上し救命胴衣は水面に浮上してから使用するようにする。

**問題 15　解答　(3)**

　ドレーンコックは，唾などをヘルメット外に吐き出したいときなどに使用する。

**問題 16　解答　(1)**

　フーカー式潜水器は，デマンド式レギュレーターを潜水者がくわえて潜水をおこなう。**面マスクとは一体型ではない。**

**問題 17　解答　(1)**

　救命胴衣は，**液化二酸化炭素（液化炭酸ガス）又は空気ボンベ**を備え，引金を引くと救命胴衣が膨張するようになっている。

**問題 18　解答　(5)**

　ヘルメット式潜水の場合，潜水靴は<u>重量</u>のあるものを使用する。

**問題 19　解答　(4)**

　Dの　部分はドレーンコックで，潜水作業者が**唾などをヘルメット外に吐き出したいときなどに使用する。**

**問題 20　解答　(4)**

　ボンベに使用するバルブには，**開閉機能だけのK**バルブと，開閉機能とリザーブバルブ機構が一体となった**J**バルブがある。

第 2 回　**模擬テスト　解答と解説**　　153

## （高気圧障害）

**問題1** **解答** (5)

　呼吸ガスは圧力によって，密度が増加するので呼吸抵抗が増える。すなわち **呼吸流量は水深により変化する。**

**問題2** **解答** (3)

**問題3** **解答** (5)

　体性神経は，運動神経と感覚神経から成り，運動と感覚の作用を調節している。自律神経には，交感神経と副交感神経とがある。

**問題4** **解答** (1)

**問題5** **解答** (3)

　潜降時の圧外傷は，潜降による **圧力変化のために体腔の容積が減少する** ことで生じ，中耳腔や副鼻腔又は面マスクの内部や潜水服と皮膚の間などで生じる。

**問題6** **解答** (4)

　**肺酸素中毒** は 0.5 気圧程度の酸素分圧の呼吸ガスを長時間呼吸したときに生じ，**脳酸素中毒** は 1.4 〜 1.6 気圧程度の分圧の酸素に比較的短時間ばく露されたときに生じる。

**問題7** **解答** (5)

(1)　**一酸化炭素中毒** は，一酸化炭素が血液中の赤血球に含まれるヘモグロビンと強く結合し，酸素の運搬ができなくなるために起こる。

(2)　**スクーバ式潜水** でも，呼吸回数を故意に減らしたり，呼吸器具の呼吸抵抗が大きくなると，二酸化炭素中毒を生じる。

(3)　酸素中毒は，酸素分圧の高いガスの吸入によって生じる症状で，呼吸ガス中に **二酸化炭素が多いときには起こりやすい。**

(4)　**肺酸素中毒** は，0.5 気圧程度の酸素分圧の呼吸ガスを長時間呼吸したときに生じ，**脳酸素中毒** は，1.4 〜 1.6 気圧程度の酸素分圧の呼吸ガスを短時間呼吸したときに生じる。（脳酸素中毒と肺酸素中毒が逆）

**問題 8  解答** (5)

**問題 9  解答** (3)

　メニエル氏病は，医師の認める期間潜水業務を禁止しなくてはならない。

**問題 10  解答** (2)

(1)　気道を確保するためには仰向けにした傷病者のそばにしゃがみ，片手で額を押さえながら，もう一方の手の指で顎先を上に引き上げるようにする。（頭部後屈あご先挙上法）

(3)　胸骨圧迫と人工呼吸を行う場合は**胸骨圧迫 30 回に人工呼吸 2 回**を繰り返す。

(4)　胸骨圧迫は，胸が少なくとも 5 cm 沈む強さで胸骨の下半分を圧迫し，1 分間に少なくとも **100 回**（100 回以上）のテンポで行う。

(5)　AED（自動体外式除細動器）を用いて救命処置を行う場合には，音声メッセージに従って胸骨圧迫を開始し心肺蘇生を続ける。

## （関係法令）

**問題 11  解答** (3)

　ヘルメット式潜水なので，ロの式を使う。

$$\frac{60\,(0.03\times 40 + 0.4)}{0.8} = 120$$

**問題 12  解答** (3)

　特別教育が必要な作業者は，送気を調整する送気員と再圧室を操作する作業者です。

**問題 13  解答** (3)

　潜水作業者に圧力調整器を使用しない方法で潜水させる場合，潜水作業者ごとに，その水深の圧力下における送気量を，**毎分 60 L 以上**としなければならない。（第 28 条）

大気圧下で送気量が毎分 240 L の送気が，水深何 m で毎分 60 L の送気量になるかという問い。

ボイルの法則から以下の式を用いて水深 Z を求める。

$P_1 \times V_1 = P_2 \times V_2$

$P_1 =$ 水面上の圧力　1

$P_2 =$ 求める水深の圧力

$V_1 = 240$ [L / 分]

$V_2 = 60$ [L / 分]

水深 Z [m] と気圧 P の関係は　$P_2 = 0.1 Z + 1$

以上を代入して水深 Z [m] を求める。

$P_1 \times V_1 = P_2 \times V_2$

$1 \times 240$ [L / 分] $= (0.1 Z + 1) \times 60$ [L / 分]

$Z = \left( \dfrac{240 \text{ [L / 分]}}{60 \text{ [L / 分]}} - 1 \right) \div 0.1 = 30$ [m]


## 問題 14　解答　(3)

水深計…………… 1か月


## 問題 15　解答　(3)

連絡員は，送気調節のためのバルブ又はコックを操作する者と連絡して，潜水作業者に必要な量の空気を送気させること。


## 問題 16　解答　(4)


## 問題 17　解答　(4)


## 問題 18　解答　(2)

B：再圧室については，設置時及びその後1か月を超えない期間ごとに，送気設備及び排気設備の作動の状況など，一定の事項について点検しなければならない。

D：再圧室を使用したときは，そのつど，加圧及び減圧の状況を記録しなければならない。

**問題 19　解答**　(4)

　潜水士の免許において，**本籍または氏名**を変更したときは，交付を受けた都道府県労働局長または，その者の住所を管轄する都道府県労働局長に提出し免許書の書替えを受けなければならない。

**問題 20　解答**　(4)

　潜水業務に関するものは以下2つ。

・再圧室

・潜水器

## 第3回 模擬テスト 問題

### （潜水業務）　　　　　　　　　　　　（解答一覧は p.175）

**問題1**　圧力の単位に関する次の文中の 　　　　 内に入れる A 及び B の数値の組合せとして正しいものは⑴〜⑸のうちどれか。

「圧力計が 50 bar を指している。この指示値を SI 単位に換算すると　 A 　MPa となり，また，この値を気圧の単位に換算すると概ね　 B 　atm となる。」

|  | A | B |
|---|---|---|
| ⑴ | 0.5 | 0.5 |
| ⑵ | 0.5 | 5 |
| ⑶ | 5 | 5 |
| ⑷ | 5 | 50 |
| ⑸ | 50 | 50 |

**問題2**　体積が 10 L になったら破裂するビニル製の風船がある。この風船に深さ 15 m の水中において空気ボンベにより 5 L の体積になるまで空気を注入し浮上させたとき，この風船はどうなるか。

⑴　水面まで浮上しても破裂しない。

⑵　水深 2.5 m において破裂する。

⑶　水深 5 m において破裂する。

⑷　水深 7.5 m において破裂する。

⑸　水深 10 m において破裂する。

**問題3**　気体の液体への溶解に関する次の文中の 　　　　 に入れる A 及び B の語句の組合せとして正しいものは⑴〜⑸のうちどれか。

「温度が一定のとき，一定量の液体に溶解する気体の　 A 　は，その気体の分圧に　 B 　。」

158

|     | A    | B              |
| --- | ---- | -------------- |
| (1) | 体積 | 拘(かか)わらず一定である |
| (2) | 体積 | 反比例する     |
| (3) | 質量 | 反比例する     |
| (4) | 体積 | 比例する       |
| (5) | 質量 | 拘わらず一定である |

**問題4　気体の液体への溶解に関し，次のうち誤っているものはどれか。**
**ただし，温度は一定であり，その気体のその液体に対する溶解度は小さく，また，その気体はその液体と反応する気体ではないものとする。**

(1)　気体が液体に接しているとき，気体はヘンリーの法則に従って液体に溶解する。

(2)　気体がその圧力下で液体に溶解して溶解度に達した状態，すなわち限度いっぱいまで溶解した状態を飽和という。

(3)　水深20mの圧力下において一定量の水に溶解する気体の質量は，水深10mの圧力下において溶解する質量の約2倍となる。

(4)　潜降するとき，呼吸する空気中の窒素分圧の上昇に伴って体内に溶解する窒素量も増加する。

(5)　浮上するとき，呼吸する空気中の窒素分圧の低下に伴って，体内に溶解していた窒素が体内で気泡化することがある。

**問題5　水中における光や音に関し，次のうち誤っているものはどれか。**

(1)　水中では，音に対する両耳効果が減少し，音源の方向探知が困難になる。

(2)　水は空気に比べ密度が大きいので，水中では音は長い距離を伝播することができない。

(3)　水分子による光の吸収の度合いは，光の波長によって異なり，波長の長い赤色は，波長の短い青色より吸収されやすい。

(4)　濁った水中では，蛍光性のオレンジ色，白色や黄色が視認しやすい。

(5)　澄んだ水中でマスクを通して近距離にある物を見る場合，実際の位置より近く，また大きく見える。

**問題6　潜水の種類，方式に関し，次のうち正しいものはどれか。**

(1)　フーカー式潜水は，レギュレーターを介して送気する定量送気式の潜水である。

(2)　ヘルメット式潜水器は，金属製のヘルメットとゴム製の潜水服により構成され，潜水器の構造が簡単であるが，その操作には熟練を要する。

(3)　ヘルメット式潜水は，応需送気式の潜水で，一般に船上のコンプレッサーによって送気し，比較的長時間の水中作業が可能である。

(4)　自給気式潜水は，一般に閉鎖回路型スクーバ式潜水器を使用し，潜水作業者の行動を制限する送気ホース等が無いので作業の自由度が高い。

(5)　全面マスク式潜水は，ヘルメット式潜水器を小型化した潜水器を使用し，空気消費量が少ない定量送気式の潜水である。

**問題7　潜水業務における潮流による危険性に関し，次のうち誤っているものはどれか。**

(1)　潮流の速い水域での潜水作業は，減圧症が発生する危険性が高い。

(2)　潮流は，潮汐の干満がそれぞれ1日に通常2回ずつ起こることによって生じ，小潮で弱く，大潮で強くなる。

(3)　潮流は，湾口や水道，海峡といった狭く，複雑な海岸線をもつ海域では弱いが，開放的な海域では強い。

(4)　上げ潮と下げ潮との間に生じる潮止まりを憩流といい，潜水作業はこの時間帯に行うようにする。

(5)　潮流の速い水域でスクーバ式潜水により潜水作業を行うときは，命綱を使用する。

**問題8　潜水墜落又は吹き上げに関し，次のうち誤っているものはどれか。**

(1)　潜水墜落は，潜水服内部の圧力と水圧の平衡が崩れ，内部の圧力が水圧より低くなったときに起こる。

(2)　潜水墜落では，ひとたび浮力が減少して沈降が始まると，水圧が増して浮力が更に減少するという悪循環を繰り返す。

(3)　ヘルメット式潜水では，潜水作業者に常に大量の空気が送気されており，排気弁の操作を誤ると吹き上げを起こすことがある。

(4)　スクーバ式潜水では，潜水服としてウェットスーツ又はドライスーツを使用し，送気式でないので，いずれの場合も吹き上げの危険性はない。

(5)　吹き上げ時の対応を誤ると，逆に潜水墜落を起こすことがある。

160

**問題 9** 水中拘束又は溺れに関し，次のうち正しいものはどれか。

(1) 水中拘束によって水中滞在時間が延長した場合であっても，当初の減圧時間をきちんと守って浮上する。

(2) 送気ホースを使用しないスクーバ式潜水では，ロープなどに絡まる水中拘束のおそれはない。

(3) 送気式潜水では，溺れを予防するため，潜水作業船にクラッチ固定装置やスクリュー覆いを取り付ける。

(4) 水が気管に入っただけでは呼吸が止まることはないが，気管支や肺に入ってしまうと窒息状態になって溺れることがある。

(5) ヘルメット式潜水では，溺れを予防するため，救命胴衣又は BC を必ず着用する。

**問題 10** 特殊な環境下における潜水に関し，次のうち誤っているものはどれか。

(1) 汚染のひどい水域では，スクーバ式潜水やフーカー式潜水は不適当である。

(2) 冷水中では，ウェットスーツよりドライスーツの方が体熱の損失が少ない。

(3) 流れの速い河川での潜水では，命綱を使用したり，装着するウエイト重量を増大する必要がある。

(4) 暗渠内潜水は，潜水環境として非常に危険であり，潜水者は豊富な潜水経験と高度な潜水技術，精神的な強さが必要である。

(5) 山岳部のダムなど高所域での潜水では，環境圧は低いが，減圧症の予防のため，通常の潜水と同じ減圧時間で減圧する必要がある。

## （送気，潜降及び浮上）

**問題11　潜水業務に用いるコンプレッサーに関し，次のうち誤っているものはどれか。**

(1)　コンプレッサーは，原動機で駆動され，ピストンを往復させてシリンダー内の空気を圧縮する構造となっている。

(2)　ストレーナーは，コンプレッサーに吸入される外気をろ過し，ゴミなどの侵入を防ぐための装置である。

(3)　コンプレッサーの冷却方式には，水冷式と空冷式があり，固定式のコンプレッサーでは水冷式が多く採用されている。

(4)　主機の出力が大きい潜水作業船では，コンプレッサー専用の原動機を設置しているものが多い。

(5)　コンプレッサーの圧縮効率は，吐出圧力が 0.2 〜 0.3 MPa の範囲で最も高く，それより低圧でも高圧でも低くなる。

**問題12　送気業務に必要な設備に関し，次のうち誤っているものはどれか。**

(1)　流量計は，空気清浄装置と送気ホースの間に取り付けて，潜水作業者に適量の空気が送気されていることを確認する計器である。

(2)　流量計には，特定の送気圧力による流量が目盛られており，その圧力以外で送気するには換算が必要である。

(3)　送気ホースは，始業前に，ホースの最先端を閉じ，最大使用圧力以上の圧力をかけて，耐圧性と空気漏れの有無を点検，確認する。

(4)　潜水前には，予備空気槽の圧力がその日の最高潜水深度の圧力の 1.5 倍以上となっていることを確認する。

(5)　フェルトを使用した空気清浄装置は，潜水作業者に送る圧縮空気に含まれる水分と油分のほか，二酸化炭素と一酸化炭素を除去する。

**問題13** スクーバ式潜水における潜降の方法等に関し，次のうち誤っているものはどれか。

(1) 船の舷から水面までの高さが 1.5 m を超えるときは，船の甲板等から足を先にして水中に飛び込まない。

(2) 潜行の際は，口にくわえたレギュレーターのマウスピースに空気を吹き込み，セカンドステージの低圧室とマウスピース内の水を押し出してから，呼吸を開始する。

(3) 潜降時，耳に圧迫感を感じたときは，2 〜 3 秒その水深に止まって耳抜きをする。

(4) マスクの中に水が入ってきたときは，深く息を吸い込んでマスクの下端を顔に押し付け，鼻から強く息を吹き出してマスクの上端から水を排出する。

(5) 潜水中の遊泳は，一般に両腕を伸ばして体側につけて行うが，視界のきかないときは腕を前方に伸ばして遊泳する。

**問題14** ヘルメット式潜水における浮上の方法（緊急時措置を含む。）に関し，次のうち誤っているものはどれか。

(1) 潜水作業者は連絡員と浮上の連絡をかわしたら，潜降索の下に戻り，排気弁などで浮力調節をしながら，徐々に浮上する。

(2) 潜水作業者が浮力調節で浮上できず，潜降索をたぐって浮上するときは，連絡員が潜降索を引き上げ，浮上を補助する。

(3) 潜水深度や潜水時間の関係で浮上停止を行う必要がある場合は，3 m ごとの所定の水深で所定時間，浮上停止を行う。

(4) 無停止減圧の範囲内の潜水でも安全のための浮上停止（セーフティストップ）を，水深 10 m の位置で行う。

(5) 緊急浮上を要する場合は，所定の浮上停止を省略し，又は所定の浮上停止時間を短縮して水面まで浮上し，できるだけ速やかに再圧室に入って加圧を受ける。

**問題15** ヘルメット式潜水器及び軽便マスク式潜水器に関し，次のうち誤っているものはどれか。

(1) ヘルメット式潜水器の排気弁は，潜水作業者自身が頭で押して操作するほか手を使って外部から操作することもできる。

(2) ヘルメット式潜水器の送気ホース取付部には，送気された空気が逆流することがないよう，逆止弁が設けられている。

(3) ヘルメット式潜水器では，送気中の水分や油分をヘルメットの外へ排出するときは，ドレーンコックのレバーを開閉して行う。

(4) 軽便マスク式潜水器の空気嚢は，空気を一時貯留する機能を持つ一種の空気袋であり，送気量が呼吸量に追い付かない場合に使用される。

(5) ヘルメット式潜水器では，潜水服内の空気が下半身に入り込まないようにするため，腰部をベルトで締め付ける。

**問題16** 全面マスク式潜水器及びフーカー式潜水器に関し，次のうち誤っているものはどれか。

(1) フーカー式潜水器は，面マスクにデマンド式レギュレーターが取り付けられた一体構造となっている。

(2) 全面マスク式潜水器には，頭部を覆う専用のフードと一体になったものやヘルメット型のものがある。

(3) 全面マスク式潜水器のマスク内には，口と鼻を覆う口鼻マスクが取り付けられており，潜水作業者はこの口鼻マスクを介して給気を受ける。

(4) 全面マスク式潜水器では，水中電話機のマイクロホンは口鼻マスク部に取り付けられ，イヤホンは耳の後ろ付近にストラップを利用して固定される。

(5) 全面マスク式潜水器及びフーカー式潜水器は送気式潜水器であるが，小型のボンベを携行して潜水することがある。

**問題 17** 潜水業務に必要な器具に関し，次のうち誤っているものはどれか。

(1) 水深計には，2本の指針で現在の水深と潜水中の最大深度を表示する方式のものがある。

(2) 潜降索（さがり綱）は，マニラ麻製又は同等の強度をもつもので1～2 cm 程度の太さのものとし，水深を示す目印として3 m ごとにマークを付ける。

(3) スクーバ式潜水で使用するウェットスーツには，圧力調整器（レギュレーター）から空気を入れる給気弁とスーツ内の余剰空気を排出する排気弁が付いている。

(4) ヘルメット式潜水で使用する潜水服は，体温保持と浮力調節のため内部に相当量の空気を蓄えることができる。

(5) ヘルメット式潜水で使用する鉛錘（ウエイト）の重さは，一組約 30 kg である。

**問題 18** 潜水業務に必要な器具に関し，次のうち誤っているものはどれか。

(1) 浮力調整具は，これに備えられた液化炭酸ガスボンベから入れるガスにより 10 kg ～ 20 kg の浮力が得られる。

(2) 水中ナイフは，魚網などが絡みつき，身体が拘束されてしまった場合などの脱出のために必要である。

(3) スクーバ式潜水で使用するウェットスーツはスクィーズ（スキーズ）を防止でき，ドライスーツは保温力が大きい。

(4) ヘルメット式潜水用の潜水服は，体温保持と浮力調整のため内部に相当量の空気を蓄えることができるようになっている。

(5) 全面マスク式潜水では，ウェットスーツを着る場合，ネオプレンゴムで作られた足袋やブーツを着用し，移動を容易にするため足ヒレ（フィン）を使用することもある。

**問題 19** 全面マスク式潜水器及びフーカー式潜水器に関し，次のうち誤っているものはどれか。

(1) フーカー式潜水器は，面マスクにデマンド式レギュレーターが取り付けられた一体構造となっている。

(2) 全面マスク式潜水器では，水中電話機のマイクロホンは口鼻マスク部に取り付けられ，イヤホンは耳の後ろ付近にストラップを利用して固定される。

(3) 全面マスク式潜水器には，頭部を覆う専用のフードと一体になったものやヘルメット型のものがある。

(4) 全面マスク式潜水器のマスク内には，口と鼻を覆う口鼻マスクが取り付けられており，潜水作業者はこの口鼻マスクを介して給気を受ける。

(5) 全面マスク式潜水器及びフーカー式潜水器は送気式潜水器であるが，小型のボンベを携行して潜水することがある。

**問題 20** ヘルメット式潜水器に関し，次のうち誤っているものはどれか。

(1) ヘルメットの側面窓には，金属製格子等が取り付けられて窓ガラスを保護している。

(2) ドレーンコックは，潜水作業者が送気中の水分や油分をヘルメットの外へ排出するときに使用する。

(3) ヘルメットは，シコロのボルトを襟ゴムのボルト孔に通し，上から押え金を当て蝶ねじで締め付けて潜水服に固定する。

(4) 腰バルブは，潜水作業者自身が送気ホースからヘルメットに入る空気量の調節を行うときに使用する。

(5) 排気弁は，これを操作して潜水服内の余剰空気を排出したり，潜水作業者の呼気を排出する。

166

## （高気圧障害）

**問題1　肺換気機能に関し，次のうち誤っているものはどれか。**

(1) 肺呼吸は，空気中の酸素を取り入れ，血液中の二酸化炭素を排出するガス交換である。

(2) ガス交換が行われる場所は，肺胞及び呼吸細気管支に限られ，そこから口・鼻側ではガス交換は行われない。

(3) ガス交換に関与しない空間を死腔というが，潜水呼吸器を装着すれば死腔は増加する。

(4) 死腔が小さいほど，酸素不足や二酸化炭素蓄積が起こりやすい。

(5) 潜水中は，呼吸ガスの密度が高くなり呼吸抵抗が増すので，呼吸運動によって気道内を移動できる呼吸ガスの量は深度が増すに従って減少する。

**問題2　人体の循環器系に関し，次のうち誤っているものはどれか。**

(1) 末梢組織から二酸化炭素や老廃物を受けとった血液は，毛細血管から静脈，大静脈を通って心臓に戻る。

(2) 心臓は左右の心室と心房，すなわち四つの部屋に分かれており，血液は左心室から体全体に送り出される。

(3) 心臓の右心房に戻った静脈血は，右心室から肺静脈を通って肺に送られそこでガス交換が行われる。

(4) 心臓の左右の心房の間が卵円孔開存で通じていると，減圧症を引き起こすおそれがある。

(5) 大動脈の根元から出た冠状動脈は，心臓の表面を取り巻き，心筋に酸素と栄養素を供給する。

問題3　正面から見たヒトの血液循環経路の一部を模式的に表した下図について，次の記述のうち誤っているものはどれか。

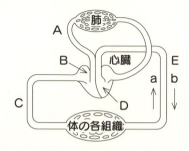

(1)　血管Aは，肺静脈である。
(2)　心臓のBの部分は，右心房である。
(3)　血管Cは，大静脈である。
(4)　心臓のDの部分は，左心室である。
(5)　血管Eでの血液の流れる方向はbである。

問題4　人体に及ぼす水温の作用及び体温に関し，次のうち誤っているものはどれか。
(1)　体温は，代謝によって生じる産熱と，人体と外部環境の温度差に基づく放熱のバランスによって保たれる。
(2)　一般に水温が20℃以下の水中では，保温のためのウェットスーツやドライスーツの着用が必要となる。
(3)　水は空気より熱伝導率や比熱が大きいので，水中では地上より体温が奪われやすい。
(4)　低体温症は，全身が冷やされて体内温度が25℃以下まで低下したとき発生し，意識消失，筋の硬直などの症状がみられる。
(5)　低体温症に陥った者にアルコールを摂取させると，皮膚の血管が拡張し体表面からの熱損失を増加させるので絶対に避けなければならない。

**問題5** 潜水によって生じる空気塞栓症に関し，次のうち誤っているものはどれか。

(1) 空気塞栓症は，急浮上などによる肺の過膨張が原因となって発症する。

(2) 空気塞栓症は，肺胞の毛細血管から侵入した空気が，心臓を介して動脈系の末梢血管を閉塞することにより起こる。

(3) 空気塞栓症は，脳においてはほとんど認められず，ほぼすべてが心臓において発症する。

(4) 空気塞栓症は，一般には浮上してすぐに意識障害や痙攣発作等の重篤な症状を示す。

(5) 空気塞栓症を予防するには，浮上速度を守り，常に呼吸を続けながら浮上する。

**問題6** 潜水による副鼻腔や耳の障害に関し，次のうち誤っているものはどれか。

(1) 潜降の途中で耳が痛くなるのは，外耳道と中耳腔との間に圧力差が生じるためである。

(2) 耳管は，通常は開いているので，外耳道の圧力と中耳腔の圧力には差がない。

(3) 耳の障害の症状には，耳の痛みや閉塞感，難聴，耳鳴り，めまいなどがある。

(4) 副鼻腔の障害は，鼻の炎症などによって前頭洞，上顎洞などの副鼻腔と鼻腔を結ぶ管が塞がった状態で潜水したときに起こる。

(5) 副鼻腔の障害の症状には，額の周りや目・鼻の根部などの痛み，鼻出血などがある。

**問題7** 窒素酔いに関し，次のうち誤っているものはどれか。

(1) 一般に，潜水深度が40m前後以上になると，酒に酔ったような状態の窒素酔いの症状が現れる。

(2) 窒素酔いは，窒素の麻酔作用が出現して生じる。

(3) 飲酒，疲労，不安等は，窒素酔いを起しやすくする。

(4) 体内に二酸化炭素が蓄積すると，窒素酔いにはかかりにくくなる。

(5) 窒素酔いにかかると，気分が愉快になり，総じて楽観的又は自信過剰になるが，その症状には個人差もある。

**問題 8** 潜水業務における窒素酔いに関する次の文中の ☐ 内に入れる A から C の語句の組合せとして，正しいものは(1)～(5)のうちどれか。

「個人差はあるが，水深 40 m 前後以上になると窒素の ☐ A ☐ により窒素酔いが出現する。窒素酔いになると，総じて考え方が ☐ B ☐ になり，正しい判断ができず重大な結果を招くことがある。飲酒，疲労，大きな作業量，不安，体内の ☐ C ☐ の蓄積等は窒素酔いを起こしやすくする。」

|     | A      | B     | C      |
| --- | ------ | ----- | ------ |
| (1) | 鎮静作用 | 楽観的 | 二酸化炭素 |
| (2) | 鎮静作用 | 悲観的 | 二酸化炭素 |
| (3) | 麻酔作用 | 悲観的 | 一酸化炭素 |
| (4) | 鎮静作用 | 楽観的 | 一酸化炭素 |
| (5) | 麻酔作用 | 楽観的 | 二酸化炭素 |

**問題 9** 潜水業務への就業が禁止されている疾患に該当しないものは，次のうちどれか。

(1) 貧血症

(2) 色覚異常

(3) アルコール中毒

(4) リウマチス

(5) 肥満症

**問題 10** 一次救命処置に関し，次のうち誤っているものはどれか。

(1) 気道を確保するには，仰向けに寝かせた傷病者の顔を横から見る位置に座り，片手で傷病者の額をおさえながら，もう一方の手の指先を傷病者のあごの先端にあてて持ち上げる。

(2) 反応はないが普段どおりの呼吸をしている傷病者で，嘔吐や吐血などがみられる場合は，回復体位をとらせる。

(3) 心肺蘇生は，胸骨圧迫 30 回に人工呼吸 2 回を交互に繰り返して行う。

(4) 胸骨圧迫は，胸が少なくとも 5 cm 沈む強さで胸骨の下半分を圧迫し，1 分間に少なくとも 100 回のテンポで行う。

(5) AED（自動体外式除細動器）を用いる場合は，胸骨圧迫や人工呼吸は一切行う必要がない。

170

## （関係法令）

**問題11** 空気圧縮機によって送気を行い，潜水作業者に圧力調整器を使用させないで潜水業務を行わせる場合，潜水作業者ごとに備える予備空気槽の内容積 V（ℓ）を計算する式は，法令上，次のうちどれか。

　　ただし，D は最高の潜水深度（m），P は予備空気槽内の圧力（MPa）でゲージ圧力を示す。

(1) $V = \dfrac{60(0.03D + 0.4)}{P}$

(2) $V = \dfrac{60(0.03P + 0.4)}{D}$

(3) $V = \dfrac{40(0.03D + 0.4)}{P}$

(4) $V = \dfrac{40(0.03P + 0.4)}{D}$

(5) $V = \dfrac{80(0.03D + 0.4)}{P}$

**問題12** 再圧室を操作する業務に就かせる労働者に対して行う特別教育の教育事項として，法令上，定められていないものは次のうちどれか。

(1) 高気圧障害の知識に関すること
(2) 潜水業務に関する知識に関すること
(3) 救急再圧法に関すること
(4) 救急蘇生法に関すること
(5) 再圧室の操作及び救急蘇生法に関する実技

**問題13** 潜降，浮上に関し，法令上，誤っているものは次のうちどれか。

(1) 潜降速度については，定めがない。
(2) 浮上速度は，毎分 10 m 以下としなければならない。
(3) 潜水業務を行うときは，潜水作業者が潜降し，及び浮上するためのさがり綱を備え，これを潜水作業者に使用させなければならない。
(4) さがり綱には，水深 5 m ごとに水深を表す木札又は布等を取り付けておかなければならない。
(5) 緊急浮上後，潜水作業者を再圧室に入れて加圧するときは，毎分 0.08 MPa（ゲージ圧力）以下の速度としなければならない。

第 3 回　模擬テスト　問題　　171

**問題14** 空気圧縮機により送気して行う潜水業務においては，法令により，特定の設備・器具について，一定期間ごとに1回以上点検しなければならないと定められているが，次の設備・器具とこの期間との組合せのうち，法令上，誤っているものはどれか。

(1) 空気圧縮機……………1週
(2) 空気清浄装置…………1か月
(3) 水深計…………………3か月
(4) 水中時計………………3か月
(5) 流量計…………………6か月

**問題15** 送気式潜水業務における連絡員に関し，法令上，誤っているものは次のうちどれか。

(1) 事業者は，送気式の潜水業務を行うときは，潜水作業者2人以下ごとに1人の連絡員を配置しなければならない。
(2) 事業者は潜水作業者への送気の調節を行うためのバルブ又はコックを操作する業務についての特別の教育を受けた者から，連絡員を選ばなければならない。
(3) 連絡員は，潜水作業者と連絡をとり，その者の潜降及び浮上を適正に行わせる。
(4) 連絡員は，送気設備の故障その他の事故により，潜水作業者に危険又は健康障害の生ずるおそれがあるときは，速やかに潜水作業者に連絡する。
(5) 連絡員は，ヘルメット式潜水器を用いる潜水業務にあっては，潜降直前に，潜水作業者のヘルメットが，かぶと台に結合されているかどうかを確認する。

**問題16** 潜水作業者の携行物に関する次の文中の [ ] 内に入れる A 及び B の語句の組合せとして，法令上，正しいものは(1)～(5)のうちどれか。

「空気圧縮機により送気して行う潜水業務を行うときは，潜水作業者に，信号索，[A]，[B] 及び鋭利な刃物を携行させなければならない。ただし，潜水作業者と連絡員とが通話装置により通話することができることとしたときは，潜水作業者に信号索，[A] 及び [B] を携行させないことができる。」

| | A | B |
|---|---|---|
| (1) | コンパス | 水深計 |
| (2) | コンパス | 浮力調整具 |
| (3) | 救命胴衣 | 浮力調整具 |
| (4) | 水中時計 | 水深計 |
| (5) | 水中時計 | 救命胴衣 |

**問題17** 潜水業務に常時従事する労働者に対して行う高気圧業務健康診断に関し，法令上，誤っているものは次のうちどれか。

(1) 健康診断は，雇入れの際，潜水業務への配置替えの際及び潜水業務についた後 6 月以内ごとに 1 回，定期に行わなければならない。

(2) 健康診断の対象者は，空気圧縮機又はボンベによる給気を受け，水深 10 m 以上の場所において行う潜水業務に常時従事する労働者である。

(3) 健康診断の結果，異常の所見があると診断された労働者については，健康診断実施日から 3 月以内に医師の意見を聴かなければならない。

(4) 健康診断の結果に基づき，高気圧業務健康診断個人票を作成し，これを 5 年間保存しなければならない。

(5) 定期に行った健康診断の結果は，所轄労働基準監督署長に報告しなければならない。

第 3 回　模擬テスト　問題　　173

**問題 18　再圧室に関し，法令上，誤っているものは次のうちどれか。**

(1)　水深 10 m 以上の場所における潜水業務を行うときは，再圧室を設置し，又は利用できるような措置を講じなければならない。

(2)　再圧室を使用するときは，再圧室の操作を行う者に，加圧及び減圧の状態その他異常の有無について常時監視させなければならない。

(3)　再圧室は，出入に必要な場合を除き，主室と副室の間の扉を閉じ，かつ，それぞれの内部の圧力を等しく保たなければならない。

(4)　再圧室の使用状況について，1 か月以内ごとに 1 回，使用した日時及び加圧減圧の状況を記録しておかなければならない。

(5)　必要のある者以外の者が再圧室を設置した場所及び再圧室を操作する場所に立ち入ることを禁止し，その旨を見やすい箇所に表示しておかなければならない。


**問題 19　潜水士免許に関し，法令上，誤っているものは次のうちどれか。**

(1)　満 18 歳に満たない者は，免許を受けることができない。

(2)　潜水業務に現に就いている者が，免許証を滅失したときは，所轄労働基準監督署長から免許証の再交付を受けなければならない。

(3)　免許証を他人に譲渡したり貸与したときは，免許を取り消されることがある。

(4)　重大な過失により，潜水業務について重大な事故を発生させたときは，免許を取り消されることがある。

(5)　潜水業務に就こうとする者が，氏名を変更したときは，免許証の書替えを受けなければならない。


**問題 20　次の設備・器具のうち，法令上，厚生労働大臣が定める構造規格を具備しなければ，譲渡し，貸与し，又は設置してはならないものはどれか。**

(1)　潜水業務用空気圧縮機

(2)　潜水業務用送気管

(3)　潜水業務用ボンベの圧力調整器

(4)　潜水器

(5)　水深計

# 第3回 模擬テスト 解答と解説

## 解答一覧

| 潜水業務 | | | | | | | | | |
|---|---|---|---|---|---|---|---|---|---|
| 1 | 2 | 3 | 4 | 5 | 6 | 7 | 8 | 9 | 10 |
| (4) | (2) | (1) | (3) | (2) | (2) | (3) | (4) | (3) | (5) |
| 送気，潜降及び浮上 | | | | | | | | | |
| 11 | 12 | 13 | 14 | 15 | 16 | 17 | 18 | 19 | 20 |
| (5) | (5) | (4) | (4) | (3) | (1) | (3) | (1) | (1) | (2) |
| 高気圧障害 | | | | | | | | | |
| 1 | 2 | 3 | 4 | 5 | 6 | 7 | 8 | 9 | 10 |
| (4) | (3) | (1) | (4) | (3) | (2) | (4) | (5) | (2) | (5) |
| 関係法令 | | | | | | | | | |
| 11 | 12 | 13 | 14 | 15 | 16 | 17 | 18 | 19 | 20 |
| (1) | (2) | (4) | (3) | (2) | (4) | (2) | (4) | (2) | (4) |

## （潜水業務）

**問題1** 　**解答** 　(4)

$1\,(\mathrm{bar}) = 0.1\,(\mathrm{MPa}) \fallingdotseq 1\,(\mathrm{atm})$ 　　$50 \times 0.1 = 5\,(\mathrm{MPa}) \fallingdotseq 50\,(\mathrm{atm})$

**問題2** 　**解答** 　(2)

ボイルの法則から（圧力×体積 ＝ 一定）　$P_1 \times V_1 = P_2 \times V_2$

　　$P_1$：風船が破裂する時の圧力
　　$P_2$：水深 15 m での圧力
　　$V_1$：風船が破裂する時の空気体積　10 L
　　$V_2$：水深 15 m での空気体積　5 L

水深 Z [m] と気圧 P の関係は　$P = 0.1\,Z + 1$
上記式から，$P_2$（水深 15 m での圧力）は，水深を代入して
　　$P_2 = 0.1 \times 15\,[\mathrm{m}] + 1 = 2.5$

風船が破裂する時の圧力 $P_1$ を求め，その圧力から水深を求めます。

$$P_1 \times V_1 = P_2 \times V_2 \;\Rightarrow\; P_1 = \frac{P_2 \times V_2}{V_1} = \frac{2.5 \times 5}{10} = 1.25$$

$$P_1 = 0.1\,Z + 1 \;\Rightarrow\; Z = \frac{P_1 - 1}{0.1} = \frac{1.25 - 1}{0.1} = \underline{2.5\,[m]}$$

**問題3** 　**解答** 　(1)

ボイルの法則とヘンリーの法則（p.22，23 参照）

**問題4** 　**解答** 　(3)

一定量の液体に溶解する気体の質量は，圧力に比例する。
水深 10 m での圧力は大気圧 1＋水圧 1 ＝ 2 気圧
水深 20 m での圧力は大気圧 1＋水圧 2 ＝ 3 気圧
よって，2 倍ではなく 3÷2 ＝ 1.5 倍となる。

**問題5** 　**解答** 　(2)

水は空気に比べ密度が大きいので，**水中では音は長い距離に伝播**する。

## 問題6　解答　(2)

(1)　フーカー式潜水は，送気式潜水の一種で，レギュレーターを介して送気する**応需送気式**である。

(3)　ヘルメット式潜水は，常時，連続的に潜水者に送気が行われる定量送気方式の潜水である。

(4)　自給気式潜水は，一般に**開放回路型スクーバ式潜水器を使用**し，潜水作業者の行動を制限する送気ホース等が無いので作業の自由度が高い。

(5)　全面マスク式潜水は，ヘルメット式潜水器を小型化した潜水器を使用し，空気消費量が少ない**応需送気式**の潜水である。

## 問題7　解答　(3)

　潮流は，湾口や水道，海峡といった狭く，複雑な海岸線をもつ海域では強いが開放的な海域では弱い。

## 問題8　解答　(4)

　スクーバ式潜水で，潜水服としてウェットスーツ又はドライスーツを使用し**ドライスーツを使用する場合は吹き上げの危険性**がある。

## 問題9　解答　(3)

(1)　水中拘束によって水中滞在時間が延長した場合は，**延長した時間を考慮した減圧時間**で浮上する。

(2)　送気ホースを使用しないスクーバ式潜水でも作業用のロープなどに絡まる水中拘束の恐れがある。

(4)　気道や肺に水が入ってしまったため，反射的に呼吸が止まって溺れることがある。

(5)　**スクーバ式潜水**では，溺れを予防するため，救命胴衣又は BC を必ず使用する。

## 問題10　解答　(5)

　山岳部のダムなど高所域での潜水では，通常の気圧での潜水よりも**長い減圧浮上時間**が必要となる。

題 3 回　**模擬テスト　解答と解説**　177

# （送気，潜降及び浮上）

**問題 11** **解答** (5)
　コンプレッサーの圧縮効率は，**圧力の上昇に伴い低下する**。

**問題 12** **解答** (5)

**問題 13** **解答** (4)
　マスクの中に水が入ってきたときは，深く息を吸い込んでマスクの上端を顔に押し付け，鼻から強く息を吹き出してマスクの下端から水を排出する。

**問題 14** **解答** (4)
　無停止減圧の範囲内の潜水でも安全のための浮上停止（セーフティストップ）を，**水深 6 m 又は 3 m** の位置で行う。

**問題 15** **解答** (3)
　ドレーンコックは，唾などを吐き出すためのもの。

**問題 16** **解答** (1)
　フーカー式潜水器は，マスクとは一体型ではない。

**問題 17** **解答** (3)
　**スクーバ式潜水で使用するドライスーツ**には圧力調整器（レギュレーター）から空気を入れる給気弁とスーツ内の余剰空気を排出する排気弁が付いている。

**問題 18** **解答** (1)
　浮力調整具（BC）は**空気**を入れて 10 kg ～ 20 kg の浮力を得る。救命具には液化炭酸ガスを備えた物もある。

**問題 19** **解答** (1)
　フーカー式潜水器は，デマンド式レギュレーターを潜水者がくわえて潜水をおこなう。面マスクとは一体型ではない。

**問題 20　解答　(2)**

　ドレーンコックは，潜水者が唾などをヘルメット外に吐き出したいときなどに使用する。

## （高気圧障害）

**問題1　解答　(4)**

　**死腔が大きいほど**，酸素不足や二酸化炭素蓄積が起こりやすい。

**問題2　解答　(3)**

(3)　心臓の右心房に戻った静脈血は，右心室から**肺動脈**を通って肺に送られそこでガス交換が行われる。

**血液循環の流れ**

　→右心房→右心室→肺動脈→肺→肺静脈→左心房→左心室→大動脈→体の各組織→大静脈→

**問題3　解答　(1)**

　血管Aは肺動脈である。

**問題4　解答　(4)**

　低体温症は，全身が冷やされて体内温度が**35℃以下**にまで低下したとき発生する。

**問題5　解答　(3)**

　空気塞栓症は，血管内に空気が侵入し，血液によって全身に運ばれ，塞栓となって末梢血管を閉塞するため**脳においても起こる**。

**問題6　解答　(2)**

　耳管は中耳の鼓室から咽頭に通じる管で，**通常は閉じている**。

**問題7　解答　(4)**

　体内に二酸化炭素が蓄積すると，窒素酔いに**かかりやすくなる**。

**問題8　解答　(5)**

第5編

模擬テスト

題3回　**模擬テスト　解答と解説**　　179

**問題 9** **解答** (2)

**問題 10** **解答** (5)

AED（自動体外式除細動器）を用いて救命処置を行う場合には音声メッセージに従って胸骨圧迫を開始し心肺蘇生を続ける。

# （関係法令）

**問題 11** **解答** (1)

**問題 12** **解答** (2)

**問題 13** **解答** (4)

さがり綱には**水深 3 m** ごとに水深を表す木札又は布等を取り付けておかなければならない。

**問題 14** **解答** (3)

水深計……1 か月

**問題 15** **解答** (2)

潜水作業者への送気の調節を行うためのバルブ又はコックを操作する業務についてはその特別の教育を受けた者から選ばなければならないが**連絡員には規定はない。**

**問題 16** **解答** (4)

**問題 17** **解答** (2)

健康診断の対象者は，**水深等に関係なく**，常時潜水業務に従事する労働者について行う。

**問題 18** **解答** (4)

再圧室を使用した時は，**その都度**，使用した日時ならびに加圧及び減圧の状況を記録しなければならない。

180

**問題 19　解答　(2)**

　潜水業務に現に就いている者が，免許証を滅失又は損傷したときは**所轄都道府県労働局長**から免許証の再交付を受けなければならない。

**問題 20　解答　(4)**

　潜水業務に関するものは以下２つ。

・再圧室
・潜水器

# 解答用紙（コピー又は切り離してお使い下さい）

### 潜水業務

| 1 | 2 | 3 | 4 | 5 | 6 | 7 | 8 | 9 | 10 |
|---|---|---|---|---|---|---|---|---|----|
|   |   |   |   |   |   |   |   |   |    |

### 送気，潜降及び浮上

| 11 | 12 | 13 | 14 | 15 | 16 | 17 | 18 | 19 | 20 |
|----|----|----|----|----|----|----|----|----|----|
|    |    |    |    |    |    |    |    |    |    |

### 高気圧障害

| 1 | 2 | 3 | 4 | 5 | 6 | 7 | 8 | 9 | 10 |
|---|---|---|---|---|---|---|---|---|----|
|   |   |   |   |   |   |   |   |   |    |

### 関係法令

| 11 | 12 | 13 | 14 | 15 | 16 | 17 | 18 | 19 | 20 |
|----|----|----|----|----|----|----|----|----|----|
|    |    |    |    |    |    |    |    |    |    |

# 解答用紙

### 潜水業務

| 1 | 2 | 3 | 4 | 5 | 6 | 7 | 8 | 9 | 10 |
|---|---|---|---|---|---|---|---|---|----|
|   |   |   |   |   |   |   |   |   |    |

### 送気，潜降及び浮上

| 11 | 12 | 13 | 14 | 15 | 16 | 17 | 18 | 19 | 20 |
|----|----|----|----|----|----|----|----|----|----|
|    |    |    |    |    |    |    |    |    |    |

### 高気圧障害

| 1 | 2 | 3 | 4 | 5 | 6 | 7 | 8 | 9 | 10 |
|---|---|---|---|---|---|---|---|---|----|
|   |   |   |   |   |   |   |   |   |    |

### 関係法令

| 11 | 12 | 13 | 14 | 15 | 16 | 17 | 18 | 19 | 20 |
|----|----|----|----|----|----|----|----|----|----|
|    |    |    |    |    |    |    |    |    |    |

## 解答用紙

| 潜水業務 | | | | | | | | | |
|---|---|---|---|---|---|---|---|---|---|
| 1 | 2 | 3 | 4 | 5 | 6 | 7 | 8 | 9 | 10 |
| | | | | | | | | | |

| 送気，潜降及び浮上 | | | | | | | | | |
|---|---|---|---|---|---|---|---|---|---|
| 11 | 12 | 13 | 14 | 15 | 16 | 17 | 18 | 19 | 20 |
| | | | | | | | | | |

| 高気圧障害 | | | | | | | | | |
|---|---|---|---|---|---|---|---|---|---|
| 1 | 2 | 3 | 4 | 5 | 6 | 7 | 8 | 9 | 10 |
| | | | | | | | | | |

| 関係法令 | | | | | | | | | |
|---|---|---|---|---|---|---|---|---|---|
| 11 | 12 | 13 | 14 | 15 | 16 | 17 | 18 | 19 | 20 |
| | | | | | | | | | |

## 解答用紙

| 潜水業務 | | | | | | | | | |
|---|---|---|---|---|---|---|---|---|---|
| 1 | 2 | 3 | 4 | 5 | 6 | 7 | 8 | 9 | 10 |
| | | | | | | | | | |

| 送気，潜降及び浮上 | | | | | | | | | |
|---|---|---|---|---|---|---|---|---|---|
| 11 | 12 | 13 | 14 | 15 | 16 | 17 | 18 | 19 | 20 |
| | | | | | | | | | |

| 高気圧障害 | | | | | | | | | |
|---|---|---|---|---|---|---|---|---|---|
| 1 | 2 | 3 | 4 | 5 | 6 | 7 | 8 | 9 | 10 |
| | | | | | | | | | |

| 関係法令 | | | | | | | | | |
|---|---|---|---|---|---|---|---|---|---|
| 11 | 12 | 13 | 14 | 15 | 16 | 17 | 18 | 19 | 20 |
| | | | | | | | | | |

# さくいん

## 【数字・アルファベット】

1型減圧症 ……………………… 71
2型減圧症 ……………………… 71
AED ……………………………… 78
BC（浮力調整具）……… 34, 39, 55

## 【ア行】

圧外傷 …………………………… 73
圧力 ……………………………… 18
アルキメデスの原理 …………… 21
安全衛生教育 …………………… 86
一次救命処置 …………………… 78
一酸化炭素中毒 ………………… 69
インフレーター ………………… 58
応需送気式 ………………… 26, 51

## 【カ行】

ガス交換 ………………………… 61
冠状動脈 ………………………… 65
気胸 ……………………………… 63
気道確保 ………………………… 79
逆止弁 ……………………… 29, 48
空気塞栓症 ……………………… 74
空気清浄装置 …………………… 49
軽便マスク式潜水器 …………… 26
憩流 ……………………………… 45
ゲージ圧力 ……………………… 20
減圧症 ……………………… 71, 80
健康診断 ………………………… 99
交感神経 ………………………… 67
高気圧作業安全衛生規則 ……… 84
高気圧障害 ……………………… 60

国際信号書A旗 ………………… 42
骨壊死 …………………………… 76
コンプレッサー ………………… 49

## 【サ行】

再圧員 …………………………… 87
再圧室 ……………………… 86, 101
さがり綱 ………………………… 91
酸素中毒 ………………………… 68
産熱 ……………………………… 76
耳管 ……………………………… 74
自給気式潜水器 ………………… 27
シャルルの法則 ………………… 22
静脈 ……………………………… 65
静脈血 …………………………… 65
自律神経 ………………………… 67
信号索 …………………………… 33
心室 ……………………………… 64
心肺蘇生 ………………………… 79
心房 ……………………………… 64
水中拘束 ………………………… 39
水中時計 ………………………… 33
スクィーズ ……………………… 73
ストレーナ ……………………… 48
絶対圧力 ………………………… 20
潜降 ……………………………… 54
潜水作業者携行物 ……………… 98
潜水墜落 ………………………… 36
全面マスク式潜水器 ……… 26, 30
送気員 …………………………… 87
送気式潜水 ……………………… 48

184

送気ホース ……………………………49

### 【タ行】

大気圧 ……………………………………18
体性神経 ………………………………67
給気可能時間 …………………………52
ダルトンの法則 ………………………24
窒素酔い ……………………………16, 70
中枢神経系 ……………………………66
チョークス ……………………………72
低体温症 ………………………………76
定量送気式 ……………………………26
手押しポンプ …………………………94
点検期間 ………………………………95
動脈 ………………………………………65
特別教育 …………………………86, 87
ドライスーツ …………………………39
ドレーンコック ………………………29

### 【ナ行】

内呼吸 …………………………………61
二酸化炭素中毒 ………………………69
熱伝導率 ………………………………17
脳酸素中毒 ……………………………68

### 【ハ行】

肺…………………………………………60
肺圧外傷 ………………………………74
排気弁 …………………………………29
肺酸素中毒 ……………………………68
肺胞………………………………………60
バディブリージング…………………56
フーカー式潜水器 ……………………26
吹き上げ ………………………………35
副交感神経 ……………………………67
浮上………………………………………54
ブロック ………………………………73

ヘルメット送気式潜水器…………26
ヘンリーの法則 ………………………23
ボイル・シャルルの法則…………22
ボイルの法則 …………………………22
放熱………………………………………76

### 【マ行】

末梢神経系 ……………………………66

### 【ラ行】

両耳効果 ………………………………15
連絡員 ………………………………54, 96
労働安全衛生規則 ……………………84
労働安全衛生法 ………………………84

# MEMO

# MEMO

## 著者略歴

# 二見 哲史（ふたみ さとし）

通信教育の SAT 株式会社代表取締役。元中高の教諭。教材作りが大好きで，自身も様々な資格を取得するために教材を購入したが，分かりにくい講義ばかりに不満が募り SAT 株式会社を立ち上げるに至る。

特に現場系・技術系の教材の高品質化を進めており，全国の優れた講師陣を発掘し，「すべての人に最高の教材を提供する」ことをミッションとしている。

SAT 株式会社

https://www.sat-co.info/

※当社ホームページ http://www.kobunsha.org/ では，書籍に関する様々な情報（法改正や正誤表等）を掲載し，随時更新しております。ご利用できる方はどうぞご覧ください。正誤表がない場合，あるいはお気づきの箇所の掲載がない場合は，下記の要領にてお問い合わせください。

## ７日間マスター！
## 潜水士試験　合格テキスト＋模擬テスト

| | |
|---|---|
| 著　　　者 | 二　見　哲　史 |
| 印刷・製本 | ㈱ 太　洋　社 |

| | | |
|---|---|---|
| 発 行 所 | 株式会社　弘 文 社 | 〒546-0012 大阪市東住吉区<br>中野２丁目１番27号<br>☎　　(06)6797―7 4 4 1<br>FAX　(06)6702―4 7 3 2<br>振替口座　00940―2―43630<br>東住吉郵便局私書箱１号 |
| 代 表 者 | 岡　﨑　　靖 | |

ご注意
（1）本書は内容について万全を期して作成いたしましたが，万一ご不審な点や誤り，記載漏れなどお気づきのことがありましたら，当社編集部まで書面にてお問い合わせください。その際は，具体的なお問い合わせ内容と，ご氏名，ご住所，お電話番号を明記の上，FAX，電子メール(henshu2@kobunsha.org)または郵送にてお送りください。お電話でのお問い合わせはお受けしておりません。
（2）本書の内容に関して適用した結果の影響については，上項にかかわらず責任を負いかねる場合がありますので予めご了承ください。
（3）落丁・乱丁本はお取り替えいたします。